ESSAIS SUR LA NATURE ET LA CULTURE

Vilém Flusser

Essais sur la nature et la culture

Traduit du portugais (Brésil)
par Georges Durand

Ce livre est traduit avec le concours
du Centre national du Livre

Circé

courriel : contact@editions-circe.fr
www.editions-circe.fr

Chemins

(Une manière d'introduction)

Le tourbillon des réflexions qui vont être ici rapportées se forme au confluent de deux expériences. La première est le dernier passage de l'auteur par le col du Fuorn, qui relie la vallée de l'Engadine au réseau des vallées du Haut-Adige, au point de rencontre des frontières de l'Italie, de l'Autriche et de la Suisse. La seconde est la visite, récente, que l'auteur a faite des menhirs de Carnac, en Bretagne.

La route du col du Fuorn est asphaltée, peu large et peu fréquentée parce qu'elle met en communication des régions peu habitées. Cependant, alors que des voies plus importantes sont fermées au trafic, cette route est tenue déneigée durant tout l'hiver parce qu'il n'existe aucune liaison alternative entre ces régions. Il s'agit d'une route latérale à la grande artère qui part de Coira en direction de Milan par le col de Maloja et qui forme l'un des axes de passage nord-sud de l'Europe centrale. Elle naît de cette artère à Zernez, dans la vallée de l'Engadine (pas très loin du Saint-Moritz des millionnaires américains et des cheiks du pétrole ainsi que du Sils-Maria du Nietzsche zarathoustrien), monte dans le Parc national de l'Engadine jusqu'à une altitude de quelque 2 300 mètres, descend le Val Venosta aux villages ladins, aux châteaux des Goths et des Lombards et par la vallée du Haut-Adige où elle se confond avec la route que Drusus fit tracer pour vaincre les habitants de la Rhétie ; elle rejoint à Bolzano (l'antique *Pons Drusi*) l'autoroute Munich-Rome qui est, quant à elle, la *via Flaminia* par où Germanicus pénétra, au nom de Rome, les forêts teutonnes et par où, en sens inverse, l'empereur Henri, en pénitence, entreprit le voyage à Canossa pour soumettre la couronne du Saint Empire Germanique à l'autorité du pape romain. Ainsi, la route du *Passo de Fuorn* (à l'évidence, « passage du Four » en langue ladine), qui relie transversalement deux artères importantes, semble être un ouvrage récent du génie civil destiné à les délester d'une partie du trafic des poids lourds qui roulent en chaîne ininterrompue entre l'Europe centrale et la péninsule italienne. Ouvrage de génie civil nouveau et audacieux, cette route a exigé que l'on fît appel aux technologies les plus avancées.

L'auteur, qui l'a empruntée de nombreuses fois au cours de ses voyages, a toujours admiré non seulement le paysage majestueux des cimes et des glaciers mais aussi la beauté de ses lacets. Ainsi, pourvu des instruments de la science, l'esprit humain a réussi à percer, littéralement, les secrets de la nature et à les offrir à la contemplation ; et il y est parvenu sous l'égide de la beauté. Jusqu'à ce que l'auteur eût lu, dans un ouvrage de paléoanthropologie, que le col du Fuorn fut, pendant d'innombrables millénaires, le chemin qu'ont emprunté les manades de chevaux sauvages, les aurochs[1] et les rennes poursuivis par les chasseurs du Paléolithique, nos ancêtres. Le tracé de la route actuelle a été « construit » par de tels troupeaux. Le projet de la route appartient aux chevaux, aux taureaux, aux rennes. Seule sa réalisation actuelle est le produit du travail humain, comme ce fut certainement le cas d'innombrables réalisations antérieures. Si l'on considère que projet et idée sont des concepts apparentés, ce sont les animaux de la toundra qui eurent l'idée de construire la route. Ce sont eux qui osèrent. Et nous, qui allons en automobile de Bolzano à Zernez, nous ne faisons que suivre leurs pas, exactement comme le faisaient les chasseurs, nos ancêtres.

Qui entreprend un voyage en Bretagne, comme le fit l'auteur la semaine dernière, pénètre dans une région mystérieuse pour une foule de raisons : à cause des curieuses constructions appelées « calvaires » qui la caractérisent ; à cause du Mont Saint-Michel, ce

1. En allemand dans le texte, *Ur.* (N.d.T.)

monstre monastique, ce Mont Athos de l'Occident ; à cause des landes pseudo-chrétiennes que les Bretons ont rejointes après avoir été expulsés de la « grande » Bretagne par les anglo-saxons, et qui continuent à « bretonner » jusqu'à aujourd'hui, alors que leurs langue et culture ont disparu de la mère patrie anglaise depuis longtemps ; à cause de ce très curieux peuple celte, appelé « peuple de la mer : armoricain », qui n'a jamais vraiment été dominé ni par les Romains, ni par les Gaulois, ni par les Bretons, ni par les bourgeois parisiens qui sont en train de construire leurs immeubles sur les plages « armoricaines ». (Mais, soit dit en passant, il est en train de se faire dominer, comme le reste de l'Occident, par la culture de masse, si bien que, d'« armoricain » qu'il était, il devient aujourd'hui progressivement américain.) Cependant, la région est mystérieuse principalement à cause des peuples qui ont précédé les Armoricains et dont on sait peu de chose ou rien, si ce n'est qu'ils construisirent (si tant est que « construire » soit le terme exact), entre 6000 et 4000 ans avant le Christ, ces ensembles inexplicables de pierres à Carnac et, de l'autre côté de la Manche, à Stonehenge. Qui étaient ces gens qui, plus de 2000 ans avant la construction de la première pyramide égyptienne, élevaient des milliers de pierres pointues et irrégulières, dont des centaines pèsent un multiple du poids de l'obélisque de la place de la Concorde qui exigea, pour son érection, le plus grand des efforts de la technique des Lumières, et toute l'ardeur du romantisme révolutionnaire de la République française ? Jusqu'à ce jour, l'auteur n'a pas rencontré, dans la littérature consultée, de réponse satisfaisante à une telle question. Il n'a trouvé que des interprétations fantastiques du type *O despertar dos mágicos*[2] ou banales, du type *phallus* freudien. De telles interprétations, et d'autres semblables, ne satisfont pas. Parce que, devant toute œuvre humaine, surgit la question du motif et de la finalité de l'œuvre. Car c'est cela qui distingue la culture de la nature : les

2. Pauwels, Louis et Bergier, Jacques, *O despertar dos mágicos: introdução ao realismo fantástico*, trad. de Gina de Freitas, Lisbonne, Bertrand, 1964. Régulièrement réédité depuis, l'ouvrage est la traduction de *Le Matin des magiciens. Introduction au réalisme fantastique*, Paris, Club des Amis du Livre, 1962, 487 p. (N.d.T.)

œuvres de la culture possèdent une signification, elles sont susceptibles d'être décodées. Les menhirs de Carnac sont absurdement mystérieux, parce que nous avons perdu la clef du code qui leur confère leur signification. Nous ne savons plus pourquoi et pour quoi ils ont été élevés, si bien que nous sommes obligés de « les interpréter », à défaut d'être capables de « les lire ».

Les milliers de menhirs qui couvrent la plaine autour du village de pêcheurs et d'éleveurs d'huîtres, dites « belons », appelé Carnac (nom qui évoque mystérieusement l'Égypte et, à cause de son suffixe « ac », un passé qui renvoie en deçà de l'âge du bronze), paraissent à première vue un amoncellement de ruines dispersées de manière chaotique, comme si un édifice aux proportions surhumaines s'était effondré au cours d'un tremblement de terre. Mais, peu à peu, l'observateur va découvrir que ce qui apparaît comme hasard chaotique est, en réalité, ordre ultra-complexe. En observant plus attentivement, les pierres n'apparaissent pas comme des espèces de statues « objets trouvés » ou « art minimal » aux proportions gigantesques, mais comme des éléments de murs d'enceinte invisibles ou disparus. Une fois mentalement reconstituées, de telles super-enceintes finissent par délimiter des centaines de chemins qui se croisent et se recroisent en un dessin géométrique hautement sophistiqué. La vision mentale fait surgir un ensemble d'avenues et d'allées colossales où le menhir, pris individuellement, finit par n'être qu'un élément de tracé, en dépit de ses proportions gigantesques. Et si les roches elles-mêmes se font nains dans un tel labyrinthe, que dire de nous autres hommes ? Nous devenons fourmis courant, désorientées, au long d'avenues et d'allées destinées à des êtres d'une toute autre taille, essayant de palper de leurs antennes mentales les menhirs un à un pour découvrir qui étaient les êtres marchant jadis dans ces avenues. Sans doute : les menhirs ont été placés à l'endroit voulu par des gens comme nous, bien que déployant une énergie et des méthodes difficilement imaginables. Mais il n'est guère possible que le projet de leur construction ait surgi vraiment de l'esprit de ces gens. Il est impossible que leur construction ait répondu à un quelconque de leurs besoins. Un tel projet a nécessairement eu une origine différente et a nécessairement été « inspiré », en quelque sorte, dans l'esprit de leurs bâtisseurs. En construisant les « alignements » de Carnac, les peuples inconnus habitant la Bretagne pré-égyptienne ont certainement obéi à des projets ignorés d'eux-mêmes, afin d'ouvrir des chemins dont la finalité reste inconnue.

Les deux expériences relatées convergent en un point : celui d'un projet de chemins. Et les réflexions se mettent à tourner autour de ce point, pour quitter précipitamment ce centre tant les termes « projet » et « chemin » sont gros de signification. Une telle fuite du centre peut, cependant, être disciplinée pour peu que la pensée s'en tienne à un seul aspect, pour ainsi dire concret, du problème qui se pose au confluent des deux expériences. Le voici : les projets de chemins humains ne sont pas nécessairement humains. Dans le cas du col du Fuorn, le projet paraît avoir été pré-humain et, dans le cas de l'alignement de Carnac, il semble avoir été extra-humain. Si la pensée s'en tient à cet aspect, il est possible de faire la distinction entre deux types de chemins : ceux qui sont projetés, tracés, imaginés, programmés délibérément, clairement, distinctement, consciemment, et les autres. L'Axe monumental[3] de Brasilia et la Transamazonienne pourraient constituer des exemples du premier type, et le col du Fuorn et Carnac, du deuxième. Une telle distinction peut contribuer à approfondir la compréhension de la dialectique de la nature et de la culture.

Nous sommes tentés d'affirmer que la différence entre les chemins décidés en toute conscience et les autres réside dans l'âge. Les chemins anciens, pré-historiques, seraient ceux dont les plans et les projets sont tombés dans l'oubli, et, à cause de cela, nous paraissent à nous, observateurs tardifs, ne pas avoir été décidés. Les phénomènes ne confirment cependant pas une telle affirmation. Les routes du sel et de l'ambre qui traversent l'Europe sont très anciennes et révèlent, cependant, des projets délibérés. Et le col du Fuorn est

3. Le plan de Brasilia, capitale construite à la fin des années cinquante, figure, entre autres, un arc tendu prêt à décocher sa flèche, l'*Eixo Monumental*. Il s'agit d'une voie d'accès à la ville large de quelque 250 mètres. (N.d.T.)

l'un des plus récents passages alpins. Si bien qu'on ne peut soutenir que plus une route est ancienne, moins elle est artificielle et, donc, plus « naturelle ». La naturalité ou l'artificialité d'une route n'est pas fonction de son âge ; il ne peut en être ainsi dans la mesure où l'histoire n'est pas un simple processus d'artificialisation croissante, mais un processus qui revient périodiquement aux sources naturelles d'où il jaillit. On doit tenter une autre explication de la différence.

Celle-ci, peut-être : les quatre exemples de routes proposés dans le présent essai peuvent être regroupés non pas selon le critère du projet, mais selon celui de la fonction remplie. Le col du Fuorn et la Transamazonienne servent au transport des marchandises et des personnes ; Carnac et l'Axe monumental servent de symboles, transportent des messages. Bien sûr, le critère n'est pas exclusif. L'Axe monumental est également l'artère que les fonctionnaires des différents ministères empruntent pour rejoindre leur lieu de travail et les allées de Carnac ont certainement servi aussi de chemin pour les druides. Et le col du Fuorn ainsi que la Transamazonienne sont aussi les symboles de quelque chose (le premier, peut-être, du Marché commun, et la seconde, avec certitude, du *Brasil Grande*[4]). Cependant, la fonction symbolique l'emporte dans l'un des deux couples et la fonction économique dans l'autre car le critère de la fonction clarifie la différence entre les routes délibérément projetées et les autres.

Le col du Fuorn est une route techniquement plus élaborée que la Transamazonienne, qui, sur de longs tronçons de son parcours, ne diffère pas d'une piste de terre. Dans ce sens, le col du Fuorn est plus « artificiel », davantage « culture » et moins « nature ». Pourtant, la Transamazonienne s'impose beaucoup plus au paysage qu'elle traverse, avance non seulement en lui mais contre lui. Elle dévore la forêt, alors que le col du Fuorn la met en valeur. Dans ce sens, la Transamazonienne est beaucoup plus artificielle et culturelle : elle représente bien davantage la victoire de la décision humaine sur les

4. « *Brasil Grande* » tout comme « *Brasil-Potência* » sont des slogans de la dictature militaire exaltant la « grandeur » du pays. (N. d. T.)

conditions naturelles imposées à l'homme. Le code dont l'Axe monumental participe en tant que symbole (avion s'envolant vers un avenir radieux, aurore, *Brasil Grande*, etc.) est beaucoup plus dénotatif, clair et distinct que le code duquel participe Carnac et ce, pas seulement parce que nous en avons perdu la clef. Le code de Carnac a certainement toujours été obscur et hautement connotatif. Le message de l'Axe monumental exige, par conséquent, une lecture différente de celui de Carnac : plus intellectuelle qu'intuitive. Dans ce sens, l'Axe monumental est beaucoup plus artificiel et culturel que Carnac : il représente davantage la volonté humaine de donner sens au monde. De manière que l'artificialité d'une voie paraît ne pas dépendre de son élaboration, ni de sa fonction, mais du climat existentiel qui l'entoure. Sur les chemins « artificiels », « culturels », les hommes marchent, fiers, vers un destin qu'ils ont eux-mêmes projeté. Sur les chemins mystérieux, « naturels », les hommes marchent en suivant les traces d'êtres inconnus ou vaguement pressentis, vers un destin ignoré ou vaguement pressenti. Ou, comme à Carnac, sans apparemment suivre aucun cap. Et puisque ces deux types de chemins existent, il existe aussi deux types d'*homo viator*.

Cependant, une telle distinction entre chemins « naturels » et « artificiels » suggère, à première vue, un concept complètement insatisfaisant d'« art » et de « culture ». La « culture » serait, conformément à ce critère, l'imposition délibérée d'une signification humaine à l'ensemble sans signification de la « nature », et l'« art », la méthode grâce à laquelle l'esprit humain s'impose sur la nature. Bien que beaucoup puissent effectivement adopter ce concept, ce dernier est totalement insatisfaisant : la vision du col du Fuorn et de Carnac le prouve. Si le concept était satisfaisant, la Transamazonienne serait un progrès culturel par rapport au col du Fuorn, et l'Axe monumental serait une œuvre d'art plus significative que Carnac parce que sur la Transamazonienne et l'Axe monumental l'esprit humain s'impose plus nettement sur la nature des *Gerais*[5] et de la Forêt amazonienne. En réalité, le col du Fuorn apparaît comme une

5. De *campos gerais* : étendues du Plateau Central sur lequel fut construite Brasilia à la fin des années cinquante . (N. d. T.)

œuvre d'art produisant une émotion forte (en révélant des « visions de la réalité ») et Carnac apparaît comme le témoin d'une culture perdue et oubliée, mais aussi pleine de sens et de « vertu » que la nôtre. Si bien que les chemins anti-naturels ne sont pas nécessairement le fruit d'un art plus « évolué » et la culture, nécessairement anti-nature.

Les deux types de chemins suggèrent, au contraire, qu'il existe deux types de culture, chacun de ces derniers appliquant un art différent. Le premier type de culture serait le produit de l'effort pour élaborer et faire briller toujours davantage l'essence de la nature, et son art serait la méthode par quoi cette essence est révélée. Le col du Fuorn et Carnac seraient les œuvres de ce type de culture. Le second type de culture serait, effectivement, le produit de l'effort délibéré pour imposer des projets humains à la nature et faire briller toujours davantage l'essence de l'esprit humain, et son art serait la méthode par quoi cette essence est révélée. La Transamazonienne et l'Axe monumental seraient les œuvres de ce type de culture. Toutefois, une telle schématisation simplifie le problème. Probablement, les deux types de culture et d'art n'existent pas, ni n'existeront jamais, à l'état pur. Probablement, toute culture concrète et tout art sont un mixte ou une synthèse des deux types proposés. Ce qui rend extrêmement problématique non seulement la volonté de distinguer, ontologiquement, les différentes cultures, mais aussi celle d'établir une dialectique rigoureuse de la culture et de la nature.

Cela implique que *homo viator* n'est pas un être qui peut choisir, délibérément ou spontanément, entre les routes délibérées et les routes mystérieuses. Cela implique, au contraire, que *homo viator* est un être qui marche sur des chemins tantôt délibérés, tantôt mystérieux, qu'il le fait tantôt délibérément, tantôt spontanément, et que, dans la majorité des cas, il marche en partie délibérément, en partie spontanément, sur des chemins partiellement délibérés et partiellement mystérieux. Parce que le col du Fuorn et Carnac, d'un côté, la Transamazonienne et l'Axe monumental de l'autre, sont des cas limites (*Grenzsituationen*). La majorité des chemins sont comme l'Autostrada del Sole et la Via Dutra ou comme la rue de Seine ou la Rua Direita, plus ou moins mal tracés, et qui le sont « mal » parce que l'esprit humain n'est pas du tout parvenu à s'imposer. C'est sur de tels chemins que nous marchons, en règle générale.

Vallées

Nous avons différentes manières de nous mettre en rapport avec la nature, dont certaines peuvent être dites « sur-naturelles », « théoriques », « perspectives » (selon nos goûts). L'une d'entre elles consiste à envisager la nature comme s'il s'agissait d'une carte. Selon cette conception, nous inversons la relation épistémologique entre le paysage et la carte. La carte ne représente plus le paysage ; désormais, c'est le paysage qui représente la carte. La carte ne sert plus d'instrument pour nous orienter dans le paysage ; désormais, c'est le paysage qui sert d'instrument pour nous orienter sur la carte. La vérité cesse d'être fonction de l'adéquation de la carte au paysage et devient fonction de l'adéquation du paysage à la carte. Un tel idéalisme forcené, que l'on nous a inculqué au lycée, s'exprime dans la formule « la mer est bleue et les possessions anglaises sont rouges ». Selon cette vision, les vallées deviennent les chemins par lesquels l'eau s'écoule en direction de l'océan. « Scientifique » cette vision ?

Nous avons, en l'occurrence, un modèle déterminé. Celui de la circulation de l'eau. Peu importe, ici, l'origine du modèle. Le modèle prévoit (au sens de « commande » et « prophétise ») que l'une des phases du cycle de l'eau est sa descente des montagnes en empruntant les vallées. L'observation du paysage confirme le modèle. C'est-à-dire : le paysage s'adapte au modèle (à la « carte »). Il répond

« oui ». Les vallées constituent des réponses affirmatives à la recherche « spirituelle » (formelle) de la carte. Folie ? Oui, dans le sens où l'« esprit » est folie, où l'homme est un animal fou. Et non pas au sens où l'« esprit » est négation, où l'homme est un animal qui peut changer les vallées en construisant des barrages. Pour qui est ingénieur, une telle vision de la vallée est « adéquate ». Pour qui habite la vallée, folle. Les ingénieurs ne peuvent-ils donc pas habiter les vallées ? Non, ils ne le peuvent pas. En tant qu'ingénieurs, ils habitent les cartes.

Moi, je ne suis pas ingénieur et j'habite une vallée. J'habite ? Bien que je ne sois pas ingénieur, je suis, moi aussi, un homme. Un animal fou. Moi aussi, j'ai été expulsé du paradis, et pas seulement les ingénieurs. Je ne peux habiter dans la vallée, ou, tout au moins, je ne le peux pas complètement. Moi aussi j'habite, en partie, dans le royaume des outils, bien que mes outils ne soient pas ceux de l'ingénieur. Je ne produis pas, comme le fait l'ingénieur, la « science de la nature ». Je suis, pauvre malheureux, un humaniste. Ma folie est autre. Les vallées, pour moi, sont aussi des chemins. Non pas, évidemment, de l'eau. Mais des chemins pour les hommes. Voici pourquoi je ne peux pas habiter la vallée aussi complètement que ne le font, par exemple, les biches. Les biches se déplacent dans la vallée et moi, je l'emprunte. Je traverse la vallée (soit de larmes, soit de sourires). *Homo viator*. Chevalier errant, juif errant. Étranger. Mais pas complètement. Si je marche dans la vallée de l'ombre de la mort, Tu es auprès de moi. Qu'elle est verte, alors, ma vallée ! Cependant la vallée est mienne et moi, je ne lui appartiens pas. Je ne suis pas sienne parce que moi aussi je dispose de carte à quoi ma vallée doit répondre par « oui ou non », s'adapter. Ma carte, mon génie[6], le voici : l'humanité est une horde d'envahisseurs, d'immigrants. Elle a envahi le paysage, cela fait probablement quelque huit millions d'années. En plusieurs colonnes. À la recherche de rennes, de mammouths, de graminées, de bétail, de sel, de charbon, d'électricité, du bonheur, en somme. D'où vient la horde, on ne le sait pas. Probablement, elle est « fausse » cette question ; il n'est pas de

6. *Engenho* signifie à la fois, « génie », « outil », « machine », « habileté ». (N. d. T.)

méthode pour y répondre. Bien qu'elle ne paraisse pas être « fausse » puisque, tout compte fait, huit millions d'années, cela n'est pas si long. En revanche, où elle va, on le sait. Elle monte. Elle monte le long des fleuves et des rivières dans le sens contraire de celui de l'eau. Elle monte par les vallées. Les vallées sont les artères par où monte le sang du fleuve de l'humanité. Et les étroites vallées de montagne sont les capillaires. Là, l'invasion s'arrête. Ce sont des barrages, mais ils sont à l'inverse de ceux de l'ingénieur. Sur ma carte, les premiers sont les derniers : les explorateurs les plus courageux qui forment le fer de lance de l'invasion et pénètrent dans les vallées les plus étroites sont immobilisés là pour former les derniers vestiges de la horde. Moi, je demeure (au sens le plus problématique du terme) dans une vallée étroite de montagne. Maintenant, réponds par « oui ou non », ma vallée. Réponds à ma question « perspectiviste », historiciste, humaniste.

Au cours de la dernière époque interglaciaire, cette vallée-ci était probablement habitée par des hommes de type Heidelberg, alors que la plaine là-bas, en-bas, était déjà habitée par des *homines sapientes*. Quand la plaine était déjà néolithique et semait des graminées, ici, ils chassaient à la manière paléolithique des chèvres alpines. Quand la plaine parlait le rhétique et utilisait le bronze, ici, il y avait encore des villages du néolithique sans division du travail. Ici on parlait encore le rhétique, quand, dans la plaine (et dans le monde extérieur), on parlait déjà le latin et le grec. Quand le moyen allemand dominait le Saint Empire, ici, on parlait le ladin. Et aujourd'hui, on y parle l'allemand quand la plaine parle déjà l'italien. Mais dans les petites vallées latérales, on parle encore le ladin. Et le rhétique n'est pas encore mort dans les petites agglomérations des dépressions situées au-dessus de 3 000 mètres. Et il existe des maisons rurales construites selon une technique néolithique. Et l'on trouve, sur les petits lacs isolés au pied des glaciers, des gens qui pêchent comme au paléolithique. Et n'y aurait-il pas, sur les visages des montagnards, des traits des hommes de Neandertal et de Heidelberg ? Ma vallée a répondu : « oui, je suis organisée comme sur ta carte ». Je demeure dans un barrage de l'histoire de l'humanité, où « antérieur » devient « vallée amont » et « postérieur », « vallée aval ». Stratification à l'opposée de celle de la géologie, celle-ci. Rien de surprenant : les « humanités » possèdent des cartes inverses de celles des « sciences de la nature ». Le temps s'écoule en direction opposée dans les deux disciplines. Dans les sciences de la nature, il suit la direction de l'entropie ; dans les humanités, celle de l'information croissante. L'eau coule dans une direction opposée à celle du fleuve de l'humanité. La stratification historique de ma vallée s'oppose à sa stratification géologique, comme l'« esprit » s'oppose au monde. Parce que le monde est passage, et l'« esprit », aventure.

Ce n'est pas seulement parce que j'y demeure que ma vallée est intéressante. Elle peut être généralisée. N'est-ce pas ainsi que fonctionne l'« esprit » : en généralisant, classifiant, projetant vers le « haut » ? C'est-à-dire : en faisant le vide ? Cette vallée-ci concrète, la mienne, peut être généralisée sous la forme vide : « type de vallées ». Ce pourquoi elle est intéressante. Elle peut servir d'exemple concret du type abstrait « vallées ». Inversion épistémologique, par conséquent. Ma vallée est intéressante parce que, une fois l'inversion réalisée, elle permet des questions comme : tradition ou progrès ? Sur ma carte, les vallées sont des lieux par où le progrès passe et où il s'immobilise. Mais où il s'immobilise en prenant une structure déterminée. Celle de la « mémoire » au sens platonicien, biologique, cybernétique (et autre, peut-être). Les vallées, sur ma carte, sont des magasins d'information, des conserves. Des conservateurs traditionnels, par conséquent. Sur ma carte, le but du progrès est d'être conservé. C'est que ma carte est une carte d'humaniste, et non d'ingénieur. C'est pourquoi le *nunc stans* de la vallée y apparaît comme le but du *panta rheî*, comme Shangri-La, en somme. Tout humanisme est utopique : il vise l'étroite plénitude de la vallée et ne voit dans l'ample vacuité de la plaine qu'étape de parcours.

Première tentative de réponse : les vallées sont articulées. Elles sont étroites et entourées d'obstacles qui ne permettent que de rares et difficiles passages. Une telle articulation les rend « organiques », c'est-à-dire, difficilement mécanisables. Elles ne peuvent pas être facilement remplies de « masses » qui se meuvent mécaniquement. On ne peut y construire avec facilité des pyramides pharaoniques, des cirques gigantesques ou des banques de cinquante étages. De telles choses n'entrent guère bien dans les vallées, mais non pas parce qu'elles sont « petites ». Les montagnes qui les entourent sont beaucoup plus hautes que les pyramides, les cirques et les banques, et le vécu des vallées est tout de grandeur. Ce n'est pas parce qu'elles sont « petites », mais parce qu'elles sont articulées, que les vallées ne servent pas les cultures de « masse ». Par conséquent, le progrès massificateur de la plaine est destiné à être articulé (« humanisé ») dans les vallées.

Seconde tentative de réponse : les vallées abritent. Toute vallée constitue un univers, avec sa faune et sa flore propres, un peu différent de celui de la vallée voisine. Avec son économie et sa structure sociale propres, son architecture propre, sa musique, ses légendes propres. Et les univers que constituent les vallées ne communiquent pas entre eux, mais seulement avec la plaine qui est commune à tous. C'est dans ce sens que les vallées abritent : non pas parce qu'elles isolent du reste du monde, mais parce qu'elles communiquent de manière indirecte et en faisant de grands détours. Cela distingue peut-être les cultures qui sourdent d'un réseau de vallées étroites des cultures des plaines : elles sont « confédérales » et non point « fédérales » comme ces dernières. Par exemple : les cultures grecque, juive, tibétaine, toltèque et inca par comparaison avec les cultures romaine, mésopotamienne, hindoue, maya et chibcha. Par conséquent, la « civilisation » de la plaine est destinée à être acculturée dans les vallées.

D'autres réponses du même genre sont possibles et facilement formulables. Toutes diront que l'histoire est un processus qui a les vallées pour ligne d'arrivée. En somme, toutes diront qu'emmagasiner de l'information (néguentropie) est le but de l'humanité. Et elles diront encore que les vallées (mémoires, tradition, néguentropie) ne sont pas des lieux figés où plus rien n'advient. Elles sont, au contraire, des lieux où l'information est constamment regroupée et restructurée. Pour employer le langage de la communicologie : les vallées sont les lieux où les discours des plaines sont mis en dialogue. C'est pourquoi les vallées sont des lieux pour les penseurs et les poètes. D'Héraclite à Nietzsche. De Davi à Rilke. Mais pas pour les prophètes. Les prophètes n'habitent pas les vallées. Ma carte ne comporte pas de prophètes. Je dois la compléter.

Les prophètes passent par les vallées et montent jusqu'au sommet de la montagne. Ils visitent les habitants de la vallée. Et ensuite, ils reviennent. Au retour, ils ne se reposent même pas dans la vallée qu'ils traversent. Ils se dirigent directement vers la plaine pour conter leur « nouvelle ». Ils racontent la vision qu'ils ont eu au sommet. Pour eux, la vallée est un canal entre plaine et sommet, entre sommet et plaine : un canal bivalent. À l'aller, c'est un canal entre redondance et bruit. Au retour, un canal entre bruit et information nouvelle. À l'aller, c'est un canal entre aliénation massifiée et solitude ; au retour, entre solitude et engagement. Voici ce qu'est la vallée sur une carte dressée depuis le sommet de la montagne. Non plus un barrage, mais le milieu du chemin. Sur une telle carte, celui qui se trouve dans la vallée est au milieu du chemin de sa vie. Et la question qui se pose sur une telle carte est la suivante : celui qui se trouve dans la vallée monte-t-il encore ou descend-il déjà ? Est-il encore un penseur (reformulant le discours de la plaine, la « prose ») ou bien est-il déjà un poète (préparant un nouveau discours) ?

Sur cette seconde carte (qui n'est plus historiciste, mais aussi formelle que celle de l'ingénieur), l'humanité n'apparaît donc plus sous la forme d'un fleuve qui monte au long des vallées, mais sous la forme d'une circulation qui va dans le sens contraire de celui de l'eau. Elle monte par les capillaires des vallées étroites, projette des gouttes d'eau vers les sommets et ces gouttes retournent, chargées de « nouvelles » pour vivifier les plaines. Une telle circulation de l'humanité monte en grands fleuves (les grandes tendances), se ramifie en deltas dans la montagne (les différentes hérésies), atteint les sommets en gouttes individuelles (les grands « hérésiarques ») qui s'évaporent et condensent en pluie vivifiante (la « prophétie »). Par conséquent, sur cette seconde carte, les vallées sont des chemins différents de ce qu'ils étaient sur la première. Ce ne sont plus des chemins qui conduisent vers un but. Ce sont des chemins d'initiation au retour. Des chemins « décisifs ».

Qui n'a jamais monté les vallées, n'a jamais vécu. Il végète dans la plaine. La troisième dimension, celle du sublime, lui fait défaut. Mais qui a monté la vallée et y est resté, n'a pas non plus vécu. Il a arraché ses racines, c'est vrai, il s'est désaliéné. Mais il est resté en suspens, dans la disponibilité. Il doit se décider. Monter davantage encore, s'isoler plus encore sur ces sommets que Rilke appela « ceux du cœur », que pas même les aigles n'habitent. Se risquer à la solitude dont Unamuno dit qu'en elle « il perdit sa vérité ». Et une fois prise une telle décision, il ne peut espérer aucun Virgile, ou Godot, ou n'importe quel guide de montagne. Ou alors, revenir vers la plaine sans avoir couru le risque de la montée, non pas, bien sûr, pour s'y réintégrer, mais pour s'engager. Parce que, pour qui se trouve dans la vallée, l'intégration est devenue impossible. Pour lui, dorénavant, elle est synonyme de promiscuité. Pour avoir monté la vallée, il est apocalyptique, et jamais il ne pourra être à nouveau intégré. Le « retour », jamais, ne peut biffer l'« aller ». Celui qui revient n'est pas le même, il est changé. Il a été informé, même s'il n'est pas monté jusqu'au sommet. Voici la décision que doit prendre celui qui a monté la vallée : solitude sans garantie de retour, ou retour sans avoir vu le sommet.

Ceux qui sont nés dans les vallées n'ont jamais vu les sommets. Ils voient le sol qu'ils cultivent et, rarement, la plaine à leurs pieds où ils échangent le produit de leur travail. Ils ne voient que rarement la plaine parce que celle-ci est, en général, couverte de brume. C'est pourquoi, ceux qui sont nés dans les vallées croient qu'ils sont nés au-dessus des nuages. Mais ils sont dans l'erreur. Ils sont nés au milieu du chemin. Comme sont dans l'erreur ceux qui sont nés dans la plaine et n'en sont jamais sortis. Ils croient qu'ils sont nés sous le ciel, alors que, en réalité, ils sont nés sous la brume qui ne leur permet pas de voir les vallées et les sommets. Mais celui qui est né dans la plaine et est monté dans la vallée voit d'abord les sommets, escarpés et inaccessibles. Et ensuite, il voit le sol verdoyant de la vallée. Mais, comme il est un voyageur, il voit le paysage comme s'il s'agissait de la confirmation des cartes qu'il porte dans la poche. Deux cartes. La première indique la vallée comme le chemin qui conduit au but. La seconde indique la vallée comme un épicycle qui conduit au retour. La première carte a été dressée sous le climat lourd de la plaine et vise à libérer le voyageur. La seconde carte a été dressée dans la vallée elle-même et vise à changer la plaine et son climat. Les deux cartes sont également adéquates. Le paysage, s'il est consulté, répond « oui » aux deux. La décision : « laquelle des deux cartes dois-je utiliser ? », ne peut être prise sur la base des cartes elles-mêmes. Les deux sont également appropriées. Ni, non plus, sur la base d'une comparaison entre les cartes, sur la base d'une « méta-carte ». Pour être « méta », elle n'en est pas appropriée davantage. La décision à prendre devra être « absurde » (sans base).

Et cela représente la limite de la folie qu'est l'esprit humain. Il est parfaitement possible de dresser des cartes. Il est parfaitement possible d'inverser le rapport entre carte et paysage ; et de consulter, non pas la carte pour s'orienter dans le paysage, mais ce dernier pour s'orienter sur la carte. De telles folies sont parfaitement possibles. Mais, quand il s'agit de prendre une décision, les cartes ne servent pas. Les décisions authentiques sont absurdes. Et l'absurde, c'est le concret (le non classifiable, le non généralisable, le non formalisable). Quand est prise la décision, la folie disparaît. La décision se manifeste dans le concret. Les vallées sont les chemins de la décision, des lieux concrets. Des lieux dans lesquels il devient nécessaire, à un moment donné, de jeter toutes les cartes, sous peine de se mettre en panne dans le « surnaturel », le « théorique », la « perspective ». C'est justement parce que les vallées sont des lieux quasi surnaturels, quasi théoriques, quasi perspectivistes, qu'elles constituent des situations limites. Là, la décision consiste, en accord avec Jaspers, en un déchiffrer et non pas en un résoudre. En somme, les vallées sont des lieux où la disponibilité peut, s'il en est décidé ainsi, devenir engagement.

Oiseaux

Nous ne pouvons plus ressentir leur vol comme l'éprouvaient nos ancêtres : comme un désir impossible. Les oiseaux ont cessé d'habiter l'espace entre nous et le ciel pour se transformer en êtres qui occupent l'espace entre nos automobiles et nos avions de tourisme. De maillon entre l'animal et l'ange, ils se sont transformés en objets d'étude du comportement en groupe. Si nous voulions adapter notre perception des oiseaux à celle de nos ancêtres, nous devrions dire que, pour nous, tous les oiseaux sont ce qu'étaient les poules pour eux : des êtres qui volent, mais difficilement. Par conséquent, une telle modification de notre attitude vis-à-vis des oiseaux et du vol (provoquée par l'aviation et l'aéronautique) a un effet significatif sur notre vision du monde. Nous perdons l'une des dimensions du traditionnel idéal de « liberté », et nous perdons l'aspect concret de la traditionnelle vision du « sublime ».

Deux facteurs rendent difficile la tentative de comprendre la vision que nos ancêtres eurent du vol : notre propre vision du vol et le mythe du vol. Les deux difficultés rompent notre lien avec la tradition de deux manières opposées : la première nous exclut de la tradition, la seconde nous y fait participer de manière entièrement neuve. En d'autres termes : parce que nous avons une vision différente du vol des oiseaux, nous ne pouvons pas bien comprendre la manière dont l'ont conçue nos aînés. Et parce que nous participons du même mythe du vol, nous ne pouvons pas comprendre comment nos aînés adaptaient leur vision du vol au mythe. Je vais tenter d'illustrer les deux difficultés.

Observons trois types de vol d'oiseau : celui du faucon, celui du colibri et celui de l'hirondelle. Spontanément, trois modèles s'offrent pour les saisir : le faucon vole comme un planeur, le colibri, comme un hélicoptère et l'hirondelle, comme un chasseur. Si nous réfléchissions à ces trois modèles, nous constaterions que leur rapport aux phénomènes qu'ils saisissent est complexe : les trois engins de vol servant de modèle sont, pour partie, des copies des oiseaux eux-mêmes, et, pour partie, le résultat d'un développement rendu viable après l'abandon de l'oiseau comme modèle de vol. De sorte que prendre des appareils volants comme modèles d'oiseaux ne constitue pas la classique inversion « modélisé-modèle », si caractéristique de notre vision des choses. Nous comprenons les bras comme des leviers parce que les bras étaient les modèles des leviers ; et nous voyons les miroirs comme des surfaces de lacs parce que les surfaces de lacs étaient les modèles des miroirs. Mais nous voyons les oiseaux comme des appareils volants, bien que de tels appareils n'aient pas eu des oiseaux, mais des équations de l'aérodynamique pour modèles. Dans ce sens, les avions sont des instruments moins « naturels » que les leviers et les miroirs : ils n'ont pas pour modèle des choses de la nature. Et si nous saisissons le vol des oiseaux comme modèle de l'aviation (et nous le faisons spontanément), c'est que nous sommes en train de dénaturaliser spontanément un tel vol.

Nos ancêtres ont certainement eu d'autres modèles pour saisir les trois types de vol. Le faucon devait voler comme un nuage, le colibri, comme un baiser[7], l'hirondelle, comme la flèche. (Et la littérature, source de notre compréhension de la vision de nos aînés, suggère d'autres modèles.) Mais, pour nous, une telle vision traditionnelle du vol est nécessairement poétisante et kitschisée, c'est-à-dire fausse du point de vue de la sensibilité. Celui qui dit aujourd'hui que les colibris baisent les fleurs (et non pas qu'ils se maintiennent en vol vertical au-dessus des fleurs) n'est pas sincère parce que le modèle de l'hélicoptère s'impose spontanément. Vouloir voir le vol des oiseaux comme l'ont vu nos aînés, c'est vouloir kitschiser un tel vol ; et c'est là l'illustration de la première difficulté.

7. *Beija-flor*, littéralement « baise-fleur », désigne le colibri. (N. d. T.)

Le mythe du vol, tel qu'il se manifeste dans d'innombrables mythologies et d'innombrables rêves et tel qu'il a inspiré d'innombrables rêveurs depuis le tailleur d'Ulm et Léonard jusqu'à Jules Verne et la NASA, reste aussi actif en nous qu'il l'était chez nos aînés. De fait, la thèse selon laquelle les mythes sont des « projets » constants, producteurs d'histoire mais indépassables par celle-ci, paraît bien fondée tant dans la psychologie que dans la sociologie. Mais le même mythe possède, pour ceux qui ont l'expérience du vol, un impact entièrement différent de celui qu'il a eu pour nos ancêtres, pour qui voler était un rêve impossible. Si nous volons d'un seul jet de São Paulo à Paris, nous sommes pris d'une sensation ambivalente : d'une part, nous savons que nous volons bien « mieux » que les faucons (plus haut, plus loin et plus rapidement), et que, par conséquent, notre réalité est en train de dépasser notre mythe. D'autre part, nous sentons que voler en jet n'est pas le « message » du mythe et qu'il n'est pas possible que cela ait pu inspirer Icare et Léonard. En ayant cessé d'être un rêve impossible, le mythe est devenu un rêve infaisable, mais il persiste. Si l'une des thèses de base du marxisme est que les rêves sont morts dès qu'ils se réalisent, le versant dialectique d'une telle thèse est laissé de côté : les rêves morts persistent. Nous pouvons, c'est clair, voler et nous pouvons le faire « mieux » que ne le rêvait Léonard, mais en même temps nous préférons le rêve de Léonard à notre réalité. Et cela n'avance à rien que nous appelions l'aéroport de Fiumicino (cette trivialité caractéristique de notre réalité des vols), « aéroport Léonard de Vinci ».

Pour nos ancêtres, l'observation du vol du faucon, du colibri et de l'hirondelle fut la vision d'un rêve impossible. « Si j'étais un petit oiseau et avais deux ailes, je volerais jusqu'à toi », dit une chanson populaire, chanson qu'il est honnêtement impossible de chanter aujourd'hui. Nos ancêtres projetaient le mythe du vol sur les oiseaux et ils le faisaient spontanément parce que les oiseaux étaient à l'origine du mythe. Mais nous, nous ne pouvons plus le faire parce que notre réalité du vol dépasse le vol des oiseaux sans avoir dépassé le mythe ; et cela illustre la seconde difficulté.

Nous ne pouvons donc plus ressentir le vol des oiseaux comme le ressentaient nos ancêtres. Mais une telle incapacité de notre part nous permet, paradoxalement, de voir, mieux qu'ils ne le firent, ce que le vol des oiseaux a signifié pour eux. Ils ont peut-être cru que « voler comme un oiseau » c'était voir le monde d'en haut et franchir des obstacles insurmontables. Par conséquent, distance et liberté. Mais cette sorte de « sublimation » et de liberté ne nous attire pas : nous en connaissons la réalité. Il existe, cependant, un autre contenu du rêve « voler comme un oiseau » que nos ancêtres pressentaient sans le discerner clairement. Celui de dépasser la bidimensionalité. Le fait que nous soyons prisonniers de la bidimensionalité n'est pas communément admis. Nous avons l'illusion que nos mouvements s'effectuent dans les trois dimensions de l'espace. En réalité, cependant, notre condition terrestre nous condamne au plan (à la surface de la Terre). Il n'y a que nos mains qui nous offrent une ouverture sur la troisième dimension pour la « conception », l'« appréhension » et la « manipulation » des corps. Voler comme un oiseau, c'est pouvoir utiliser le corps tout entier comme s'il s'agissait d'une main, pouvoir se mouvoir entièrement dans l'espace. Tel est l'aspect du mythe du vol qui devient visible après réalisation de ses aspects « élévation » et « franchissement d'obstacles ».

Si nous observons le vol des oiseaux, nous sommes en présence de corps qui se déplacent librement dans les trois dimensions de l'espace et qui adoptent des positions tridimensionnelles dans tous leurs mouvements. Non seulement « monter » et « descendre » équivaut à « en arrière », « en avant », « à droite », « à gauche », mais « incliner l'aile » équivaut à « tourner au coin de la rue ». Nous sommes en présence d'êtres qui doivent prendre, en toute situation, des décisions à partir d'un bien plus grand nombre de possibilités alternatives que les êtres terrestres : les diagonales qui s'offrent à l'oiseau comme voies pour la fuite ou l'attaque ne forment pas des cercles mais des sphères. L'oiseau en vol n'est pas, comme l'est l'animal terrestre, le centre d'une structure vitale de cercles interférents ; il l'est de sphères interférentes. Les formations des oiseaux pour la migration obéissent aux règles de la géométrie tridimensionnelle ; le sens « mystérieux » de l'orientation des oiseaux est mystérieux pour nous parce qu'il s'exerce dans les trois dimensions de l'espace. « Voler comme un oiseau » serait pouvoir se mouvoir, se décider, s'organiser et s'orienter dans la tridimensionalité.

Les animaux terrestres, et plus particulièrement l'homme, ne sont pas entièrement privés de la possibilité d'accéder à l'espace ouvert. Mais la « troisième dimension » n'est jamais autre chose qu'une série d'épicycles qui se superposent au plan. Les mouvements des pattes, des cous et des queues sont introduits dans la troisième dimension à partir du plan. Et les organes des sens, et plus particulièrement celui de la vue, recueillent des informations venues des trois dimensions sur un point du plan. Pour les animaux terrestres, y compris l'homme, l'espace est un océan qui baigne l'île plate qu'ils habitent. D'où la ressemblance entre l'oiseau et le poisson : tous deux sont des habitants de l'espace-océan. Les oiseaux nagent dans l'air comme les poissons volent dans l'eau. La différence tient à ce que le vol de l'oiseau rend visible la liberté du mouvement spatial et que la nage du poisson rend visible son conditionnement. Le mythe du poisson possède un climat différent de celui du mythe du vol.

L'homme se distingue des autres animaux terrestres par sa position verticale : c'est que son corps tout entier est engagé en direction de l'espace ouvert. Une telle position permet à l'homme de « conquérir l'espace » à partir du plan. (L'oiseau n'a pas besoin de conquérir l'espace, il s'y trouve.) Mais la position verticale de l'homme n'entraîne pas la libération du corps humain tout entier en direction de l'espace. Elle a seulement ouvert le paramètre des mouvements tridimensionnels à quelques parties du corps et elle a donné aux mains la possibilité d'une manipulation tridimensionnelle de corps.

Les mains sont des organes spécifiquement humains, que la station verticale rend possibles, et qui se meuvent dans l'espace avec une certaine liberté. Les mains vivent dans un climat structurellement semblable à celui dans lequel vivent les oiseaux en vol. L'oiseau en vol est une main volante, libérée du corps, corps entièrement devenu main. Le mouvement de la main est appréhension, compréhension et modification des corps « en profondeur », c'est-à-dire, dans l'espace. Le mythe du vol, c'est cela : liberté d'appréhender, de comprendre, de concevoir et de modifier en profondeur.

Pour nos ancêtres, l'oiseau était une aile entre l'animal et l'ange. Il n'est pas encore un ange, parce qu'il est encore soumis à l'attraction de la Terre. Il s'élève de la Terre, il centre son intérêt sur la Terre, il revient à la Terre et fait sur elle son nid. Il est une main liée au corps de la Terre par un bras invisible. L'ange est un oiseau extraterrestre. Il centre son intérêt sur l'espace et demeure dans l'espace. Il est une main libérée du corps. Le mythe de l'esprit-colombe. L'ange est un être qui appréhende, comprend, conçoit et modifie « librement » : pur esprit. Main libérée du corps et pur esprit. Le vol de l'oiseau est son modèle.

Les vols d'un seul jet entre São Paulo et Paris dépassent le rêve de Léonard, mais n'atteignent pas à la dimension « libératrice » du mythe du vol. Ils relèvent de la bidimensionalité : ils relient deux villes situées sur une carte plane. Les vols d'un seul jet entre Tokyo et Paris relient deux villes par la route du Pôle et imposent une nouvelle projection plane du Globe. Ils sont plus « spirituels » parce qu'ils prouvent que le plan est une projection, mais ils restent faits de plan. Les expériences de Sky-Lab, en revanche, indiquent un au-delà de l'oiseau, vers l'ange. Les astronautes, qui vivent en pesanteur zéro et parcourent l'espace, parviennent à transformer leurs corps en mains. Une description phénoménologique de leurs expériences fait défaut, qui serait révélatrice. Cassiano Ricardo a une poésie caractéristique à cet égard, intitulée « Gagarine ». Mais la sentence marxiste persiste : les rêves sont morts lorsqu'ils sont réalisés. Devenir oiseau, devenir main, devenir ange, c'est tuer l'essence de l'oiseau, de la main, de l'ange. Parce que le rêve de liberté et de sublime, une fois réalisé, révèle le conditionnement comme contradiction de la liberté et le quotidien comme contradiction du sublime. Cela se rapporte autant aux astronautes (« anges technologiques ») qu'à la société communiste (« société d'anges »). Les mythes peuvent être réalisés et mis à mort, mais ils persistent en tant que poids morts après leur réalisation.

Nous ne pouvons plus éprouver le vol des oiseaux comme l'éprouvèrent nos ancêtres : comme désir impossible. Nous éprouvons leur vol comme désir réalisable, déjà partiellement réalisé, et partiellement en voie de réalisation dans des dimensions que nos ancêtres n'ont que vaguement rêvées. Vol d'oiseau en tant que distance, dépassement d'obstacles et aussi en tant que spiritualisation, en raison de la tridimensionalité. Mais en éprouvant le vol comme désir réalisable, nous sommes en train de démystifier le désir sans nous libérer du mythe. Nous ne pouvons désormais plus avoir de désirs impossibles. Ce qu'il nous reste, c'est l'impossible désir d'éprouver des désirs impossibles. Vision apocalyptique ou intégrée à notre vision des oiseaux en vol ?

Pluie

L'observation de la pluie par la fenêtre s'accompagne d'une sensation de bien-être. Là, au-dehors, les éléments de la nature mènent leur jeu, dont la circularité sans fin se déploie comme toujours. Qui se trouve pris dans leur rotation se trouve exposé à des forces incontrôlées. Parcelle impuissante dans leur tournoiement violent. Ici, à l'intérieur, des processus différents sont en jeu. Qui se trouve du côté de l'intérieur dirige les événements. Voici la raison de la sensation de protection : c'est la sensation de qui se trouve dans l'histoire et la culture et contemple la turbulence sans signification de la nature. Les gouttes qui battent contre les vitres, projetées par la furie du vent, mais incapables de pénétrer dans la pièce, représentent la victoire de la culture sur la nature. Quand j'observe la pluie par la fenêtre, je me trouve non seulement hors d'elle, mais opposée à elle. Une telle situation caractérise la culture : possibilité de contemplation distanciée de la nature.

Cependant (et malheureusement), lorsque nous parlons des conquêtes de la culture, ce n'est pas ceci que nous avons à l'esprit : être assis dans un endroit sec et calme, en contemplant la pluie froide, en fumant la pipe et en écoutant Mozart. Malheureusement, nous avons à l'esprit quelque chose comme le « contrôle de la pluie ». Nous prétendons changer la structure des événements de la nature.

Rompre leur circularité, les faire avancer en ligne à la recherche d'un but que nous avons choisi. La pluie, non plus comme phase de la circulation éternelle de l'eau, mais comme phase d'une irrigation délibérée de mon champ. Si la pluie avait été vaincue, elle ne tomberait plus comme elle tombe aujourd'hui (« pluie de septembre, de chaque mois de septembre, depuis toujours »), mais elle tomberait comme « cette pluie programmée pour quatre heures de l'après-midi aujourd'hui ». Elle serait une pluie historique, parce que sujette à programmes, par conséquent, partie de la culture, non de la nature. Vue de la fenêtre, une telle pluie ne se distinguerait pas de celle qui est en train de tomber maintenant, et, cependant, elle serait en train de tomber, de ce côté-ci, et non pas de ce côté-là, de la fenêtre de la culture.

Cela donne le frisson. Cette pluie paraît être la même, et elle ne l'est pas puisqu'elle est « culture » ? Elle ne l'est pas, non pas parce qu'elle est différente, mais parce qu'elle possède une structure différente ? Celle, linéaire, de l'histoire et non pas celle, circulaire, de la nature ? Et il ne servirait à rien de la regarder pour savoir cela ? Quelle chose terrible ! Je ne peux distinguer la culture de la nature en portant le regard sur les choses, mais seulement en apprenant sur elles. Si je regarde par la fenêtre et que je vois la pluie, des chaises et des arbres, je ne peux pas savoir lesquels de ces objets relèvent de la culture, lesquels de la nature.

Je ne peux pas accepter cela. Si cela était vrai, il n'existerait plus de critère propre pour aucun engagement. La Révolution française deviendrait phénomène historique selon *une* explication et phénomène naturel (comme la migration des oiseaux), selon une *autre*. Ceux qui se sont engagés pour elle, et pour elle sont morts, le firent par ingénuité : ils n'ont pas réuni toutes les explications disponibles. Je ne peux pas accepter cela.

Je vais regarder à nouveau la pluie par la fenêtre pour voir si elle me dit quelque chose à ce propos. Voici ce qu'elle est en train de me dire : ici, à l'extérieur, il pleut et là, à l'intérieur, tu es à l'abri. C'est cela la distinction catégorique entre nature et culture. La nature est comme la pluie : elle procure une sensation d'impuissance ; la culture est comme la pièce : elle procure une sensation de protection. Conquérir la nature n'est pas changer sa structure, mais son atmosphère. Mais cela problématise tout le progrès humain. Avons-nous conquis « essentiellement » la nature au cours, par exemple, des derniers 200 ans ? Dans le sens où l'on aurait amplifié la sensation d'« être abrités » ? L'homme du XXe siècle se sent-il plus abrité que celui du XVIIIe siècle ? Est-il plus « cultivé » dans ce sens ? Sans doute l'observation de la pluie exige que nous redéfinissions notre engagement dans la culture.

Rompre la circularité des événements naturels, les faire avancer en ligne à la recherche d'un but, les programmer : c'est l'engagement recommandé par les technocrates et la structure. La pluie, seulement circulaire, ne sert à rien, mais la pluie alignée est bonne pour irriguer les champs. Voici ce que disent les technocrates : la culture, c'est transformer quelque chose qui n'est bon à rien en quelque chose qui est bon pour un but délibéré. La culture est injection de « valeurs » dans un ensemble exempt de valeurs appelé « nature ». Les choses sont naturelles (disent les technocrates) quand on ne peut pas les juger « augmentées » ou « bonnes ». Et les choses sont culturelles quand elles sont « bonnes ». C'est pourquoi les sciences de la nature sont « exemptes de valeurs » (*wertfrei*) : elles traitent d'objets exempts de valeurs. Et les technocrates ajoutent : le véritable engagement dans la culture, c'est l'engagement dans la production de « biens », c'est-à-dire, de choses « bonnes ». Les technocrates se trompent et sont en train de nous tromper.

En réalité, ce qui est « exempt de valeurs » (*wertfrei*), c'est la technologie. Les choses produites par la technique ne sont, bel et bien, ni augmentées ni bonnes. Les choses de la nature, sont, quant à elles, toutes augmentées parce qu'elles me conditionnent et me rendent impuissant. Si les choses de la nature n'étaient pas augmentées, l'engagement dans la culture ne pourrait s'expliquer. Il est toujours engagement contre la nature. Les choses de la technique sont éthiquement neutres, et deviennent bonnes si elles me protègent et, augmentées, si elles me conditionnent. Les produire est nécessaire, mais pas suffisant. Nécessaire, parce que cela débouche sur des choses potentiellement bonnes. Mais insuffisant parce que cela peut déboucher sur des choses augmentées, si nous perdons la conscience de la culture. Si le « progrès » est, comme l'affirment les technocrates, un processus tout au long duquel les phénomènes naturels sont transformés en phénomènes linéaires, alors, le « progrès » (et l'« ordre ») ne suffit pas. Ce qui est urgent pour que le « progrès » ait un sens, c'est de maintenir et d'affiner la capacité critique des valeurs (la capacité éthique, politique, en somme : la liberté). Les technocrates ne suffisent pas.

La pluie que j'observe par la fenêtre est mauvaise (et peu importe que quelques romantiques le contestent). Elle est mauvaise parce qu'elle m'est tombée dessus sans m'avoir consulté. C'est la raison pour laquelle je me sens bien en l'observant : je m'oppose à elle. La pluie transformée en irrigation programmée n'est ni bonne ni mauvaise (et peu importe que les technocrates le contestent). Elle n'est ni bonne ni mauvaise parce que sa valeur va dépendre de ce qu'elle irrigue. Et elle est bonne seulement si ce qu'elle irrigue est quelque chose qui m'abrite. Mais si ce que la pluie irrigue me conditionnait, la programmation de la pluie produirait un mal pire que les maux de la nature. Non seulement les technocrates ne suffisent pas, mais ils peuvent devenir dangereux. Le « progrès », s'il n'est pas sous le contrôle critique des valeurs, peut être plus dangereux que n'importe quel immobilisme.

La pluie que j'observe par la fenêtre me procure une sensation agréable parce que je me sens libéré d'elle. Je suis assis dans une pièce tranquille et au sec, je peux contempler la pluie. Je peux l'observer non seulement pour la manipuler ensuite, mais pour la juger. Je suis dans une situation qui autorise les jugements de valeur. En situation de « disponibilité » par rapport à la pluie. En situation de liberté. Je peux inviter d'autres personnes à entrer dans ma pièce pour discuter du problème de la pluie. Là, au-dehors, il est en train de pleuvoir, et nous, ici, à l'intérieur, à l'abri, nous sommes en train de discuter de la manière de manipuler la pluie pour quelle soit bonne. C'est cela qui est culture. Non pas la pluie manipulée et programmée, mais la pluie exposée à la libre discussion. Au fond, ce qui est bon, c'est seulement la liberté. Les choses ne sont bonnes que dans la mesure où elles contribuent à me libérer. Et c'est aussi la mesure exacte de la culture. La technologie n'est pas encore culture. La technologie (gouvernement de la technologie non contrôlé) est anti-culture. En somme : la culture, c'est la technologie plus la liberté.

C'est la pluie que j'observe par la fenêtre qui m'enseigne cela. Elle enseigne que c'est moi, avec mes proches, qui confère la valeur et donne du sens. La culture n'est pas une question de pluie (qu'elle soit contrôlée et programmée ou non), mais une question de sensation qu'elle provoque chez ceux qui l'observent par la fenêtre. En d'autres termes : si j'observe la pluie par la fenêtre, je vois que l'unique justificatif à l'engagement dans la culture consiste dans l'élargissement du terrain de la liberté (agrandir la pièce d'où j'observe la pluie). La pluie enseigne que la liberté humaine ne se résume pas à la lutte contre la nature. Il existe, entre la nature et la culture (entre la pluie et la pièce), une région éthiquement neutre, mais potentiellement dangereuse, la région de la programmation exempte de valeurs. La région de la structure non politique (des techniciens de l'irrigation des champs). La dignité humaine exige également qu'une telle région soit acquise. Mais, dans la situation actuelle, il est évidemment plus facile de lutter contre la nature que de prendre possession de la structure. Par conséquent, il y a toujours moins de pluie naturelle, toujours plus de pluie programmée et toujours moins de pièces d'où l'on puisse contempler n'importe quel type de pluie. Si cela continue ainsi, le résultat sera le suivant : nous serons tous exposés sans interruption aux pluies torrentielles programmées, mais nous proclamerons aux quatre vents (qui hurleront autour de nous en chœur programmé) que nous sommes en train d'être irrigués.

Cèdre dans le parc

Fait curieux : les arbres sont quasi invisibles. Toute tentative de les contempler le prouve. Il existe, entre le contemplateur et l'arbre, un brouillard dense de plusieurs épaisseurs. La lumière du phare de l'intention contemplative est réfléchie par un tel brouillard et la contemplation se transforme insensiblement en réflexion, sans que le contemplateur puisse intervenir en cela. Il existe quelque chose autour des arbres qui, pour être nébuleux, est mystérieux. Si je regarde par ma fenêtre et que je m'essaye à contempler le cèdre qui se dresse, majestueux, au centre de mon parc angevin, je dois admettre ce fait comme point de départ que m'impose la situation dans laquelle je me trouve.

Évidemment, les arbres sont partiellement invisibles pour des raisons physiques et biologiques, pour ainsi dire, car une grande partie en est cachée dans le sol. Un tel fait, trivial et apparemment évident, tend cependant à être ignoré par nombre de ces penseurs qui prennent les arbres pour des modèles de structures. (Et, de fait, les arbres sont des modèles privilégiés.) Je donnerai un seul exemple. Toute une vision du monde, et une philosophie, du XIXe siècle (« biologisante ») conçoit le monde comme un processus tendant à se ramifier en obéissant à un « principe » que Schopenhauer a nommé *principium individuationis*. Le système darwinien illustre bien cette structure dynamique, pour laquelle l'« arbre généalogique » a servi de modèle. Une telle vision du monde, et philosophie, est un historicisme qui s'offre comme une alternative à la vision dialectique de l'histoire, apparu, effectivement, en opposition à Hegel. Mais il est clair et plus qu'évident que le modèle de tels systèmes n'est pas l'arbre dans sa totalité, mais seulement sa partie visible au-dessus du sol. Qui prend l'arbre tout entier pour modèle de système doit avoir affaire avec une structure qui se ramifie en deux directions opposées. Si bien que l'arbre tout entier est un modèle de système dialectique, dans le sens le plus exact du terme. Les penseurs darwiniens du XIXe siècle ont oublié la partie souterraine de l'arbre (ce qui, évidemment, n'affecte en rien la « vérité » de leurs énoncés).

Mais ce n'est pas une telle « invisibilité partielle » qui s'interpose entre l'arbre et son contemplateur à la manière nébuleuse mentionnée. Ce sont des fantômes, des ectoplasmes, des spectres et des corps éthérés qui planent autour des arbres et les rendent inaccessibles. De telles divinités des arbres habitent toutes les mythologies, y compris la judaïque et la grecque, sources incontournables de notre vision du monde. Je mentionnerai quelques-uns de ces fantômes. Le plus proche du contemplateur et, par conséquent, le plus facile à éloigner, c'est le spectre du « poumon » qui cache l'arbre en tant que phénomène concret. Je ne vois pas un arbre, je vois un poumon vert, et je vois un tel poumon aussi bien du point de vue morphologique que fonctionnel. Un peu plus proche de l'arbre lui-même, mais encore facile à chasser, se trouve le fantôme de l'« abri ». Je ne vois pas un arbre, je vois un parapluie, tant au sens physique que métaphorique du terme. D'autres spectres s'agrippent à l'arbre bien plus fermement encore. Par exemple, les spectres de la « fertilité », celui du « phallus », ou de l'« arbre de vie ». Lorsque de tels spectres ont été éloignés avec peine et que l'essence même de l'arbre semble vouloir se révéler, on constate que ce n'est pas encore l'arboréité qui se montre, mais certains préjugés encore plus profonds et qui ne portent peut-être même pas de nom. Le fait est que la relation « homme–arbre » comporte une telle charge immémoriale (peut-être la conséquence de l'« origine » arboricole de l'homme) que la tentative de saisir l'essence de l'arbre échoue généralement. Les préjugés sont tellement nombreux qu'ils se refusent à être mis entre parenthèses et éliminés provisoirement.

Je ne tenterai donc pas de saisir l'essence du cèdre dans mon parc, mais seulement un seul de ses aspects. Celui-ci : l'atmosphère étrange et étrangère qui irradie de lui. Puisque je ne saisirai pas la cédrité du cèdre, peut-être saisirai-je quelque chose de son caractère étrange et étranger ? Au fond, je suis aussi étrange et étranger dans mon parc angevin que ne l'est le cèdre. Une telle communion de mon « être-au-monde » et de celui du cèdre ne peut-elle former la base d'une vision intuitive ? Ou bien suis-je déjà en train d'anthropomorphiser le cèdre ? Suis-je déjà en train de tomber dans le piège d'un des spectres, l'« anthropomorphe » qui cachent le cèdre ? Dans le piège où est tombé, et dans lequel est mort, le petit garçon du *Erlkönig* de Goethe ? Il semble plus prudent de tenter de saisir le caractère étranger du cèdre en posant des questions et non pas des affirmations. Peut-être obtiendra-t-on un certain nombre de réponses du cèdre lui-même ? Avec des questions provocatrices qui le fassent parler.

Première question : comment suis-je certain que le cèdre est étranger ? Réponse : je sais que cet arbre-là est un cèdre et que les cèdres sont des végétaux originaires du Liban, et non de France. Une telle réponse n'est pas valable. Elle n'a pas été donnée par le cèdre, mais par mes manuels scolaires. Attention, cependant. La réponse n'est pas entièrement non pertinente. « Cèdres du Liban », cela ne signifie-t-il pas : roi Salomon et construction du Temple ? Et n'y a-t-il pas quelque chose de cette signification concernant le cèdre dans le parc ? Ou bien cela serait-il encore attribuable à l'un de ces spectres ?

Je vais reformuler la première question : comment le cèdre me dit-il qu'il est étranger ? De plusieurs manières. Son vert est différent du vert alentour. Sa *Gestalt* pyramidale et hiérarchiquement échelonnée diffère des *Gestalten* coniques des arbres alentour. La forme torturée de ses branches, l'élément chaotique qui l'insère néanmoins dans une totalité harmonieuse, le distingue radicalement des couronnes régulières alentour. Ses cônes imposants n'ont pas d'équivalent auprès des fruits du parc. Son tronc éléphantesque fait l'effet d'une trompette dans un orchestre à corde. Mais, essentiellement, sa présence domine le parc, non seulement à cause de sa grande taille, mais aussi en raison de quelque chose que l'on doit appeler « majesté ». Ce sont les réponses données par le cèdre lui-même et on doit les accepter.

Seconde question : une fois acceptées ces réponses, qu'est-ce qui me dit qu'elles signifient l'« étrangéité » du cèdre ? Ne signifieraient-elles pas, au contraire, un aspect de sa « cédritude » ? En d'autres termes, la présence du cèdre dans son Liban natal ne jouirait-elle pas de la même atmosphère dont elle bénéficie dans le parc angevin ? Si je formule la question de cette manière, le cèdre se tait. Nécessairement, parce que le cèdre se trouve ici et non pas au Liban, et qu'il ne peut parler au nom d'un « autre cèdre ». Formulée ainsi, la question est catégoriquement sans signification. En formulant ainsi la question, j'ai péché contre le premier commandement de l'honnêteté : « Tu n'isoleras pas les phénomènes de leur contexte ! » La question doit être reformulée, pour avoir un sens.

Je reformulerai la seconde question : les réponses que le cèdre a données à la première question signifient-elles que ce dernier se distingue de son contexte parce qu'il est cèdre ou parce qu'il est étranger ? La réponse que le cèdre donne à une telle question peut être résumée ainsi : je suis étranger parce que cèdre. Je suis fidèle à moi-même, à ma couleur, à ma *Gestalt*, à mes cônes, je ne m'assimile pas au parc. C'est exactement pour cela même que je domine le parc. J'unifie le parc, je lui donne forme et sens. Le parc est un parc qui existe grâce à moi : un parc autour d'un cèdre. Si je n'étais pas un cèdre, cependant, étranger dans le parc, le parc n'aurait pas de sens. Je suis le bruit du parc qui transforme sa redondance en information signifiante. Je détonne, et une telle dissonance est le noyau de la musique du parc. Telle est la signification de mes réponses : je suis étranger parce que cèdre et c'est seulement par rapport à mon étrangéité que le reste du parc devient natif. « Etre étranger » c'est donc, au fond, ceci : révéler au contexte qu'il n'est pas, lui-même, étranger. Je ne suis pas étranger intrinsèquement, mais pour le parc.

Ce sont là des réponses très problématiques. Elles sont articulées en discours dont je connais bien l'origine. Ce sont les discours de la philosophie de l'existence, de la théorie de l'information, de la musicologie. Le cèdre peut-il recourir à de tels discours ? Parfaitement. De fait, il ne peut que recourir à de tels discours. Parce que le cèdre se tourne vers moi et si je lui permets de parler, c'est pour qu'il parle de l'intérieur de mes discours. De fait, les réponses à ma première question ont aussi été structurées par mon discours bien qu'elles fussent apparemment plus concrètes. Seule la formulation de ces dernières réponses relève du langage courant. Si bien que je suis obligé d'accepter aussi les réponses à ma seconde question.

Elles entraînent une troisième question : si le cèdre est présence étrange et étrangère dans le parc, parce qu'il détonne par sa fidélité à la cédritude, comment se fait-il que ce soit le cèdre qui soit étranger, et non le parc ? En d'autres termes : si être étranger c'est exister par rapport à un être autre, se peut-il qu'il n'y ait pas réversibilité ? Le cèdre est-il étranger pour le parc et le parc, étranger pour le cèdre ? Une réponse s'impose immédiatement et spontanément : je sais que le cèdre est étranger et que le parc ne l'est pas parce que le cèdre est un arbre unique et le parc, une multitude d'arbres. Une telle réponse quantitative doit être récusée, bien qu'elle soit raisonnable, comme toutes les quantifications. Elle doit être rejetée parce qu'elle ne touche pas à l'essence de l'étrangéité. En effet, ce n'est pas le cèdre qui l'a donnée, mais mon raisonnement inductif et énumératif. Je dois reformuler ma question et la poser non pas au cèdre, mais au parc. Au noyer près du cèdre, par exemple.

Je reformulerai la troisième question : comment suis-je certain que le noyer (et, comme lui, le parc tout entier) est originaire de l'Anjou et qu'il rend ainsi le cèdre dialectiquement étranger ? Un torrent de réponses sourd du noyer. Son vert estival avec une légère touche de rouille automnale dit la première moitié de septembre, « où nous nous trouvons ». Sa couronne conique constitue un élément, mais aussi un résumé, de la *Gestalt* du paysage tout entier. L'abondance de noix dont il est chargé témoigne de la fertilité omniprésente de l'Anjou et de la France. La douceur du climat, à la fois tempéré et riche de sève vitale irradiée, forme l'atmosphère tout entière, telle qu'elle pénètre les pores, les poumons, les sensations, et jusqu'aux pensées de tous ceux ici présents. L'Anjou tout entier, la France tout entière se trouvent dans l'aura du noyer, et il suffit de contempler le noyer avec suffisamment de patience pour découvrir l'essence de la France. Les réponses multiples que le noyer donne à ma question peuvent se résumer ainsi : je suis natif parce que je suis noyer, noyer parce que natif, et il n'y a là aucun problème. Je n'ai pas besoin d'affirmer ma qualité de noyer, ni lui être fidèle. Tout cela m'est donné, pour moi, autour de moi et à cause de moi, avec une spontanéité et un naturel entiers. Et c'est là, probablement, un aspect de la « nature » : être ainsi, spontanément et sans problème. Le noyer (et le parc tout entier) est nature angevine. Et, par contraste avec cela, le cèdre n'est pas nature, mais culture angevine. Il est culture parce qu'il s'affirme, qu'il est fidèle à lui-même, et qu'il donne sens au parc tout entier. En somme, il est étrange et étranger.

Ainsi, c'est là une réponse surprenante. (Je dois confesser que sa formulation au cours de cet essai m'a surpris. Je ne l'attendais pas.) La réponse du noyer provoque une redéfinition des concepts de « nature » et de « culture » dans des termes qui ne sont pas habituels : la nature comme mon état spontané et exempt de problèmes et la culture, comme présence étrange et étrangère dans mon état, qui s'auto-affirme et, par conséquent, donne sens à la nature. Cela demande à être creusé en une autre occasion. Ce qui importe, dans le présent contexte, c'est ceci : ma connaissance préalable (botanique ou autre) du cèdre et du noyer n'a pas de rapport avec le problème de l'étrangéité. Par exemple : le noyer peut parfaitement être issu de pépinières éloignées et avoir été importé dans la région, par exemple, par des Celtes. Néanmoins, il est essentiellement natif. Le cèdre peut s'être parfaitement adapté aux conditions angevines et même y pousser mieux que dans son Liban d'origine et mieux que le noyer lui-même. Néanmoins, il est essentiellement étranger. Les préjugés n'ont jamais produit des essences, lesquelles ne se révèlent qu'au cours de contemplations semblables à celle de mon parc. Un aspect de l'essence de l'étrangéité achève de se révéler.

Ainsi : l'étranger (et étrange) est celui qui affirme son propre être dans le monde qui l'entoure. De telle sorte qu'il donne sens au monde et, d'une certaine manière, le domine. Mais il le domine tragiquement : il ne s'intègre pas. Le cèdre est étranger dans mon parc. Moi, je suis étranger en France. L'homme est étranger dans le monde.

Vaches

Ce sont des machines à transformer l'herbe en lait efficaces. Elles possèdent, si on les compare à d'autres sortes de machines, des avantages indiscutables. Par exemple : elles sont auto-reproductibles et, lorsqu'elles sont devenues obsolètes, leur *hardware* peut être utilisé sous forme de viande, de cuir et autres produits consommables. Elles ne polluent pas l'environnement, et leurs déchets peuvent même entrer dans le circuit économique en tant qu'engrais, matériau de construction et combustible. Leur entretien n'est pas coûteux et n'exige pas de main-d'œuvre hautement qualifiée. Ce sont des systèmes très complexes mais, d'un point de vue fonctionnel, extrêmement simples. Étant donné qu'elles se reproduisent elles-mêmes et que, par conséquent, leur construction se réalise automatiquement et sans qu'il soit besoin de l'intervention d'ingénieurs ou de dessinateurs, cette complexité structurelle constitue un avantage. Elles sont polyvalentes dans la mesure où elles peuvent également être utilisées comme productrices d'énergie et moteurs pour véhicules lents. Bien qu'elles aient un certain nombre de désavantages fonctionnels (par exemple : leur reproduction exige des machines en soi anti-économiques, des « taureaux », et certains désordres fonctionnels exigent l'intervention coûteuse de spécialistes universitaires, de vétérinaires), elles peuvent être considérées comme des prototypes de machines du futur qui seront réalisées grâce à une technologie avancée et confirmées par l'écologie. En effet, nous pouvons, dès à présent, affirmer que les vaches sont le triomphe d'une technologie qui montre la voie de l'avenir.

Si nous considérons leur *design*, notre admiration pour l'inventeur de la vache ne fait qu'augmenter. Bien qu'il s'agisse d'une machine hautement automatisée et contrôlée par un ordinateur installé en elle (le cerveau) et que son fonctionnement soit garanti par un système cybernétique d'équilibres électriques et chimiques hautement sophistiqués, la forme extérieure de la machine est d'une simplicité et d'une économie d'éléments surprenantes et hautement satisfaisante au plan esthétique. L'impression que laisse la vache est celle d'une œuvre bien intégrée en soi et dans son environnement. Son *designer* ne s'est pas laissé influencer par telle ou telle tendance esthétique actuelle (bien que l'on puisse déceler dans le dessin de la vache d'incontestables éléments baroques et bien que son dessinateur véhicule l'influence de certaines tendances biologisantes du siècle passé) ; en revanche, le *designer* a suivi une intuition esthétique qui est tout à fait sienne. Par exemple : la mobilité élégante de la queue contraste avec l'immobilité massive du reste de l'œuvre et crée une tension que seuls Calder et ses imitateurs parviennent à produire. Mais ce qui impressionne le plus dans le *design* de la vache, c'est ceci : la gamme surprenante de variations que son prototype autorise. Le prototype est fondamentalement simple (il a été élaboré, par exemple, par Picasso dans les *Tauromachies*), mais cette simplicité même permet un grand nombre de clichés différenciés. Il s'agit, pour ce qui est du prototype de la vache, d'une authentique œuvre ouverte. On trouve, parmi ces clichés, ceux qui s'adaptent aux mentalités nationales voire régionales (vache suisse, hollandaise, anglaise), ceux qui s'adaptent au paysage (vaches des Alpes, des prairies, des steppes) et même des clichés bon marché destinés aux peuples sous-développés (zébu, vache centre-africaine).

Cela, toutefois, n'épuise pas le « message esthétique » de la vache. Les clichés sont fournis au consommateur accompagnés d'un « mode d'emploi » qui équivaut à une invitation à participer au jeu.

L'acquéreur de vaches, peut, s'il le souhaite, élaborer son propre modèle en « croisant des races ». De telle sorte que l'acquisition d'une vache ne condamne pas son acheteur à une consommation passive, mais ouvre le champ d'une participation active au « jeu des vaches ». Si bien que, finalement, la théorie des jeux se trouve absorbée de manière significative par la technologie. On peut distinguer une époque à venir où le progrès technologique ne sera plus le privilège de quelques spécialistes agréés par l'appareil administratif mais un jeu auquel les « masses » participeront activement en modifiant librement les prototypes. L'inventeur de la vache a provoqué une authentique révolution technologique, tant au sens fonctionnel qu'esthétique, qui ouvre des perspectives pour un nouvel « être-au-monde » de l'homme du futur. Il y est parvenu en accomplissant la synthèse des connaissances les plus avancées de la science et des méthodes les plus sophistiquées de la technologie avec une sensibilité esthétique aiguë et une claire vision structurelle, cybernétique éclairée par la théorie des jeux. Il n'y a pas de doute : la vache représente un « décollage » fondamental.

Mais elle ne peut pas ne pas représenter aussi un danger et une menace. Dans la mesure où les vaches sont devenues toujours plus nombreuses et bon marché (processus inévitable étant donné l'impulsion du progrès) et où des machines de type semblable sont apparues, il va se produire une transformation subtile mais profonde dans l'environnement humain. Les machines actuelles, que l'humanité adapte au cours d'un processus difficile depuis la révolution industrielle, seront progressivement remplacées par des machines du type « vache ». Étant donné que de telles machines imposent un rythme de vie différent et un ensemble de pratiques différentes, la nécessité d'une réadaptation va se faire jour, qui aura nécessairement comme conséquence une nouvelle aliénation individuelle et collective. L'imagination peut prévoir non seulement la désagrégation des grandes villes et la formation de petits agglomérats autour de vaches (qui seront appelés, par exemple, « villages ») mais également, et comme conséquence de ce qui précède, la dissolution de la structure de base de la société et son remplacement par une autre, difficilement imaginable. Cependant, cela n'est pas le pire. La tendance de l'homme à « se projeter » dans ses productions est bien connue. Le processus est approximativement le suivant : l'homme élabore des modèles pour modifier la réalité. De tels modèles sont pris du corps humain. Par exemple : le métier à tisser a pour modèle le doigt humain et le télégraphe, le nerf humain. Le modèle est réalisé sous la forme d'un produit. Aussitôt, le modèle humain est oublié derrière le produit, et, à son tour, le produit se constitue en modèle pour la connaissance et le comportement humains. Par exemple : les machines à vapeur sont prises pour modèle de l'homme au XVIIIe siècle, les usines de produits chimiques au XIXe siècle et les appareils cybernétiques de nos jours. Une telle rétroalimentation néfaste entre l'homme et ses productions constitue un aspect important de l'aliénation et de l'auto-aliénation de l'homme.

Donc, le remplacement progressif des machines actuelles par des machines de type « vache » pourra déboucher sur une telle identification « homme = vache ». L'homme peut ne pas reconnaître en la vache son propre projet ; il peut oublier que la vache est le résultat de sa propre manipulation de la réalité obéissant à un modèle qui lui appartient et accepter la vache comme quelque chose de « donné » en quelque sorte (par exemple : il peut accepter la vache comme une espèce d'« animal », et par conséquent, comme partie de la « nature »). Dans ce cas, la vache va acquérir une autonomie ontologique et épistémologique ; elle va devenir, pour ainsi dire à l'insu de l'homme, le modèle de l'homme lui-même. Précisément parce qu'il s'agit d'une machine hautement sophistiquée et anthropomorphe (toutes les machines sont, de fait, anthropomorphes, pour la raison indiquée), l'essence « machine » de la vache peut s'en trouver cachée. Dans ce cas, les « explications génétiques » de la vache qui prouveraient qu'elle est le résultat d'une manipulation humaine ne serviraient à rien. L'impact de la vache se produit au niveau existentiel, au contact direct avec elle. À ce niveau-là, toutes les « explications » deviennent inefficaces (comme le sont ce type d'« explications » pour ceux qui ont un contact quotidien avec des ordinateurs). La simple présence quotidienne de la vache exercera son influence « vachifiante ». L'imagination se refuse à concevoir la conséquence de cet état de choses.

Néanmoins, il faut faire face au danger. L'imagination doit être forcée. Elle révèle la vision d'une humanité transformée en troupeau de vaches. Une humanité qui paîtra et ruminera, satisfaite et inconsciente, consommant de l'herbe, dans laquelle une élite invisible de « bergers » possède des intérêts investis, et qui fera le lit d'une telle élite. Cette humanité sera manipulée par l'élite de manière si subtile et parfaite qu'elle se considèrera comme libre. Cela sera possible grâce au caractère automatique du fonctionnement de la vache. La liberté illusoire masquera à la perfection la manipulation « pastorale ». La vie se résumera aux fonctions typiques de la vache : naissance, consommation, rumination, production, loisir, reproduction et mort. Vision paradisiaque et terrifiante. Qui sait si, lorsque nous contemplons la vache, nous ne sommes pas en train de contempler l'homme du futur ?

Cependant, le futur n'est que virtualité. Il est encore temps d'agir. Le progrès n'est pas automatique, mais il résulte des volontés et des libertés humaines. La progression vers la vache peut encore être arrêtée. Non pas, évidemment, « de manière réactionnaire ». Non pas en tentant de nier les avantages évidents de la vache et la force de l'imagination créatrice qui se manifeste en elle. Mais en faisant en sorte que la vache s'approprie les véritables besoins et idéaux humains. La vache constitue, sans doute, une menace. Mais un défi, aussi. On doit lui faire face.

Gazon

Devant ma maison, du gazon pousse. N'est-ce pas curieux ? Je veux dire : n'est-il pas curieux le verbe auquel j'ai eu recours pour dire qu'il y a du gazon devant chez moi ? Pourquoi ne dis-je pas que devant ma maison poussent aussi des fourmis et un chat ? Et pourquoi n'existe-t-il pas de verbe spécifique pour décrire la présence de gazon devant chez moi ? Pourquoi ne puis-je pas dire « il gazonne », comme je dis « il pleut » ou « il neige » ? Et si je dis qu'il a gazonné devant ma maison, suis-je en train d'affirmer quelque chose de structurellement identique aux affirmations selon lesquelles il y a également une fourmilière et de la pluie devant chez moi ? À l'évidence, la langue portugaise a l'art d'imposer à mon esprit un certain nombre de formes qui me font appréhender les phénomènes du monde sous des angles déterminés par ces formes mêmes. J'appréhende le gazon comme quelque chose qui pousse, et là est l'essentiel du gazon. Dans le cas des fourmis et des chats, j'appréhende leur croissance comme un accident. Et j'appréhende le gazon comme élément d'un collectif (la pelouse), qui est essentiellement différent de collectifs tant de type « fourmilière » que de type « pluie ». Je fais confiance à la « sagesse » cachée de la langue : je crois que la langue « sait » pourquoi elle impose de telles formes à ma pensée. Je crois que l'« essence » du gazon m'est révélée en tant que « pousser » et en tant qu'élément d'un type déterminé de collectifs dans les formes de la langue portugaise. Je suis obligé de croire à cela. Sinon, je tomberais dans le mutisme ou dans des excentricités linguistiques du genre : « en face de chez moi stationne une armée de gazon ». Mais en disant cela, le fil de mon discours s'emmêle. De quelle excentricité linguistique s'agit-il là ? L'armée de gazon stationnée ne saisit-elle pas, elle aussi, un aspect de l'« essence » de mon espace semé de gazon, aspect caché par la langue courante ? Et cela n'a-t-il rien à voir avec le fameux « pouvoir révélateur de la poésie » ? N'ai-je donc pas donné la parole au gazon, au sens husserlien, à savoir : donné une parole « nouvelle » au gazon ? N'ai-je pas permis au gazon de se structurer, pour moi, d'une manière relativement nouvelle dans la langue portugaise ? À ce stade, je ne donne ni réponse affirmative, ni réponse négative à cette question. Je la note.

Devant ma maison, pousse du gazon. Comme, un peu plus loin, pousse du blé. Tout comme pousse, au centre de la scène vue de ma fenêtre, un cèdre à l'imposante frondaison. « Pousser » serait donc la manière dont la langue saisit l'essence de la plante ? Je fais erreur. Le gazon devant chez moi pousse davantage comme les cheveux sur ma tête plutôt que comme le cèdre. L'essence du gazon révélée par la langue ne réside pas dans sa « plantité » mais dans le fait que l'on puisse le laisser pousser ou le couper. L'essence du gazon réside dans son caractère sécable. Il s'agit d'une espèce du même genre que celui auquel appartiennent les cheveux et les ongles. Le genre peut être entretenu, pour l'essentiel, par manucure. La technique adéquate pour l'entretien du gazon est enseignée dans les instituts de beauté. La croissance du gazon est essentiellement différente de celle du cèdre (et du blé aussi). Le critère de cette différence fondamentale réside dans la praxis. Le coiffeur est quasi compétent pour le gazon, mais pas pour le cèdre. Mais cette différence essentielle est cachée par le verbe « pousser » de la langue portugaise. Que ceci soit également noté.

Le caractère sécable du gazon (qui lui est essentiel) est lié, apparemment, au caractère du collectif dont il forme un élément. Des collectifs de type pelouse, chevelure et barbe, sont sécables, des collectifs de type emblavure sont récoltables et des collectifs de type cédraie sont gérables de manière différente. (Sans parler de collectifs de type fourmilière et félidé.) Mais ne peut-on pas également couper les ongles et n'est-ce pas là que réside l'« essentiel » des ongles ? Quel est leur collectif, « onglevure », « onglerie » ou « ongleraie » ? La tentative de se porter au secours de la « sagesse » cachée de la langue portugaise échoue : l'essence du gazon reste cachée par le verbe « pousser » jusqu'à ce que l'on force le lien entre ce verbe et le substantif « pelouse ». On doit constater, au plan quelque peu extralinguistique, que le gazon fait partie, essentiellement, de la catégorie des phénomènes sécables, à laquelle appartiennent aussi le cheveu et l'ongle, mais pas le blé, la fourmi ou le chat. (Bien qu'une telle classification ne soit rendue possible que grâce à la langue et par l'intermédiaire de la langue.) Ce qui surprend, c'est que cette classification ne correspond en aucune façon aux classifications scientifiques dites « objectives ».

De telles classifications objectives (comme d'ailleurs l'ensemble du discours scientifique) tendent à masquer l'essence des phénomènes qu'elles expliquent. Elles disent, par exemple, que le gazon et le blé sont des parents proches et des parents éloignés du cèdre, mais que leur parenté avec les fourmis est très lointaine, et que leur relation avec les cheveux et les ongles est confuse d'un point de vue hiérarchique. C'est que l'objectivité scientifique est, dans la réalité, le résultat d'un point de vue déterminé sur le monde ; adopté de préférence et de manière inconsciente sans justification explicite, ce point de vue est assumé inconsciemment. Assurément, le point de vue scientifique ne peut être adopté par Dieu *sub specie æternitatis*. Parce que, de ce point de vue, la sécabilité se révèle être l'essence de nombreux autres collectifs : cédraies, fourmilières et humanité. De ce point de vue, nous sommes fondamentalement aussi sécables que le gazon. Si nous adoptons un point de vue aussi distant, non seulement l'humanité apparaîtra comme une espèce de prairie, mais l'ensemble de la biosphère, comme une espèce de mousse sécable couvrant la surface de la planète Terre. Cependant, ce point de vue distant n'est ni scientifique ni pertinent au plan existentiel. Seules les distances mesurables en unités temporelles et spatiales compatibles avec les dimensions humaines sont significatives. Les points de vue selon lesquels la différence entre prairie et humanité se dilue sont inhumains et, partant, coupables. Argument appréciable contre certaines religiosités.

Essentiellement, le gazon est la chevelure de la Terre ; essentiellement, la chevelure est le gazon du corps. De quel point de vue ? Du point de vue du coiffeur et du jardinier. De tels points de vue n'ont pas été adoptés de manière arbitraire, ils ont été imposés par le phénomène même. Nous ne pouvons pas adopter n'importe quel point de vue vis-à-vis du gazon. Par exemple, celui du géologue ou du banquier. Bien que ces points de vue embrassent également le gazon et la chevelure, ils ne saisissent pas ce qui est essentiel en eux. Pour les géologues et les banquiers, le gazon et la chevelure ne constituent pas leur centre d'intérêt ; pour les coiffeurs et les jardiniers, si. L'essence ne se révèle que lorsque le phénomène envisagé se trouve placé au centre de l'intérêt.

Essentiellement, le gazon est la chevelure de la Terre. Il fait problème, comme n'importe quel phénomène qui nous entoure. Le problème que pose le gazon est : le laisser pousser ou le couper. C'est une question pratique, preuve que le gazon est un phénomène concret. Il ne s'agit pas de l'expliquer, il s'agit de le modifier. Ce n'est pas une question de type : « comment se répartissent les nombres premiers dans la série des nombres naturels ? », parce qu'elle implique une praxis. Non pas, évidemment, d'un point de vue objectif, mais du point de vue du jardinier. Objectivement, le problème du caractère sécable du gazon apparaîtra très tard dans le discours qui rend compte du gazon. D'abord vont apparaître des questions relatives à la morphologie, au métabolisme, à la génétique, etc., du gazon. Preuve que le point de vue objectif (scientifique) abstrait et déconcrétise le gazon. Le point de vue du jardinier saisit l'essence concrète du gazon. Mais il est de fait que le jardinier peut couper le gazon de manière scientifique. La science est un long détour qui passe par les labyrinthes de l'abstraction pour retrouver le phénomène concret d'où elle est partie. Un tel détour enrichit la praxis (et la vision) concrète du jardinier. Mais lorsqu'il s'agit de découvrir l'essence du gazon (sa sécabilité), il est préférable de mettre un tel détour entre parenthèses.

Essentiellement, le gazon est la chevelure de la Terre. La décision de le laisser pousser ou de le couper dépend, en partie, de la situation culturelle dans laquelle nous nous trouvons. Il s'agit, en partie, d'une question de mode. *Beautify America, have a hair cut* (« Embellissez l'Amérique, faites-vous couper les cheveux ») implique également : « coupe ou non ta pelouse ». *The Greening of America* (« Rendre l'Amérique verte ») est une vision de l'Amérique du point de vue du jardinier et du coiffeur. D'ailleurs, on peut trouver un tel point de vue dans de nombreux développements spéculatifs de la Nouvelle gauche (Marcuse) et d'une « philosophie » inspirée de l'écologie. Nombre de ces tendances nouvelles, contiennent un esthétisme implicite parce qu'elles naissent dans des instituts de beauté. Pour la Nouvelle gauche, le prolétariat porteur d'avenir n'est apparemment plus le métallo, mais le coiffeur. Un tel esthétisme est-il effectivement nouveau ? N'est-il pas plutôt romantique, avec longues barbes (et pelouses) ? Critique non pertinente. Tout ce qui est nouveau possède, dans un certain sens, longue barbe. *Nil novi sub sole*. Mais n'oublions pas que l'essence de la barbe est son caractère sécable. Ne pas couper le gazon, le laisser pousser est actuellement à la mode. On soutient que de cela dépend la survie même de l'humanité. À bas l'appareil coupeur d'herbe parce que à bas tout appareil ! Le point de vue du coiffeur (ou de l'anti-coiffeur, car c'est la même chose) conteste le point de vue de l'appareil (ou de l'ouvrier et du patron d'usine automobile et des coupeurs de pelouse). Les longues barbes des deux points de vue sont, cependant, sécables. Comme l'est la longue barbe de la contradiction entre le point de vue éthique de l'usine de coupeurs et le point de vue esthétique du jardinier. Celui qui coupe ainsi les barbes dépasse les modes (est transmoderne). Structuraliste ? Oui, mais structuraliste-coiffeur qui doit couper sa propre barbe. Couper sa propre barbe : praxis réflexive ?

Essentiellement, le gazon est la chevelure de la Terre. Le laisser pousser, c'est permettre à la Terre d'être. Attitude chtonienne, tellurique, etc., par conséquent. Attitude contraire à la répression ouranienne (spirituelle) de la Terre exercée par l'appareil (à couper le gazon). La chevelure est essentiellement le gazon du corps. Le laisser pousser, c'est permettre à la Terre d'être. Attitude contraire à la répression du corps par l'appareil. Le corps-Terre, ensemble non historique en révolte contre l'histoire présentée par l'esprit-appareil. Rousseau-Marx-Marcuse ? Non, fondamentalement. Fondamentalement : institut de beauté. Esthétisme nietzschéen en révolte contre le « nihilisme » du judéo-christianisme. Il est urgent de mieux définir le rapport entre le gazon et la terre, entre la chevelure et le corps, pour découvrir phénoménologiquement la Terre derrière le gazon et le corps derrière la chevelure. Gazon et chevelure « couvrent » la Terre et le corps. C'est de la faute du gazon et de la chevelure si nous ne les voyons pas. Le gazon, est-il aussi Terre (*Magna Mater*, utérus, etc.) et la chevelure, corps également (ensemble d'expériences concrètes et de gestes) ? Non, parce que le gazon et la chevelure sont fondamentalement sécables. La Terre n'est pas sécable parce qu'elle est fondatrice. Le corps n'est pas sécable parce qu'il est toujours présent à moi-même. La Terre et le corps sont insécables parce qu'ils ne sont pas dans le temps. D'où leur non-historicité. Laisser pousser le gazon et les cheveux est aussi une décision historique (spirituelle, prise dans l'appareil) : c'est laisser cachée la non-historicité de la Terre et du corps. Est-il possible que la méthode opposée soit plus indiquée ? Couper le gazon et les cheveux de manière tellement radicale que le corps et la Terre apparaissent ? Faire fonctionner l'appareil jusqu'à ce qu'il en arrive lui-même à l'absurde ? Le coiffeur comme prolétariat porteur d'avenir, au sens de « révélateur » de la concrétude non historique de la Terre et du corps ? Ne serait-ce pas là collaborer avec l'appareil et être absorbé par lui ? Non : c'est s'approprier l'institut de beauté.

Les échecs de « la sagesse de la langue » par rapport au gazon ont été dûment notés. C'est que la langue fait partie de l'appareil coupeur de gazon. Il est possible de dépasser la langue et l'appareil. Une vision phénoménologique le permet. Mais ensuite, il est nécessaire de recourir à nouveau à la langue et à l'appareil pour les contraindre à fonctionner contre eux-mêmes et en faveur de l'essence du gazon. Programme raisonnable.

Doigts

Je m'efforce de les observer tandis qu'ils frappent les touches de la machine à écrire pour produire le présent texte. Dure tâche, parce que situation complexe. Je dois observer les doigts tandis qu'ils tapent un texte dont le sujet est l'observation des doigts. Mais tâche passionnante. Parce que la complexité de la situation tient au reflet constant de l'observation dans ce qui est observé. Il s'agit, par conséquent, de la complexité des situations réflexives. En observant les doigts, je me reflète en eux, et les doigts se reflètent en moi lorsque je les observe. Quand je place mes doigts au centre de mon attention, c'est moi-même que j'y trouve. Je suis mes doigts et mes doigts sont moi. Je suis leur autant qu'ils sont miens. Se peut-il que la co-implication entre moi et les doigts constitue l'essence des doigts ?

Pour tourner la complexité de la situation, je vais tâcher de la décrire en termes simples. Je suis assis sur une chaise. La chaise est le produit de la civilisation occidentale, et, à l'analyse, elle révèle l'histoire de l'Occident. Je suis devant un bureau. Le bureau appartient au même ensemble dont la chaise est une partie. L'opposition « chaise-bureau » est la structure caractéristique de situations déterminées dans ma culture. Sur le bureau est posée une machine à écrire « Olivetti ». Il s'agit d'un instrument pour écrire quelque peu paléotechnologique (produit de la technique des années vingt). La machine possède des touches sur lesquelles sont inscrites les lettres de l'alphabet latin. De telles lettres sont des modifications historiques de symboles nés au Proche-Orient il y a approximativement 3 000 ans. Mes doigts frappent les touches du clavier dans un ordre déterminé. L'ordre vise à produire, sur une feuille de papier insérée dans la machine, des propositions en langue portugaise. Il est donc déterminé par l'ordre de cette langue. Le portugais est une modification historique d'une hypothétique langue indo-européenne. Les propositions en portugais visées par mes doigts sont des produits de mes pensées. De telles pensées ont été programmées par les conditions économiques, sociales, culturelles, en somme historiques, qui me déterminent. Je cherche à sortir le papier de la machine aussi rapidement que possible pour qu'il soit lu par un tiers. Cette autre personne pourra déchiffrer le message inscrit sur le papier parce qu'elle participe de la même culture que moi. De telle sorte que l'ensemble de la situation, avec ses éléments et sa structure, est caractéristique d'une culture déterminée. Mes doigts y sont intégrés.

Mais cela m'autorise-t-il à considérer mes doigts comme partie intégrante de cette culture ? Non, cela m'est impossible. L'analyse de mes doigts ne va pas révéler l'histoire de l'Occident, comme le fait l'analyse de la chaise, de la machine, de l'alphabet et de la langue portugaise. Bien sûr, à l'analyse, le déplacement de mes doigts sur les touches peut se révéler un mouvement historiquement déterminé. Mais non pas les doigts eux-mêmes : ils ne sont pas le produit de l'histoire de la culture. Je suis fortement tenté d'affirmer qu'ils sont le produit de l'histoire de la nature. Je dispose de modèles très solides (par exemple, le modèle darwinien) qui m'incitent à affirmer cela. Et, par conséquent, à affirmer que mes doigts sont des phénomènes naturels pris dans un contexte culturel qui, dorénavant, transforme, informe, conditionne, en somme, leurs mouvements. La culture comme violence exercée sur la nature.

Cependant, une telle description de la situation est complètement inappropriée. Elle ne tient pas compte de son climat. Ce climat n'est pas celui de la violence exercées sur mes doigts par un établissement culturel fait d'appareils synchronisés (bien que plusieurs tendances actuelles, y compris la Nouvelle gauche affirment que c'est le cas). Il ne s'agit pas, dans cette situation, d'une « dénaturation » ou d'une

« acculturation » de mes doigts. Il ne s'agit pas de cela et l'observation du mouvement des doigts le prouve. Ils ne se déplacent pas machinalement, bien qu'ils le fassent parmi et sur différentes « machines » (instrument à écrire, alphabet, langue portugaise). Leur mouvement est délibéré, c'est-à-dire qu'il met en jeu ma liberté. Les doigts choisissent telles touches et laissent de côté telles autres ; et ils choisissent ces touches en fonction de critères. Il est vrai que les critères sont imposés aux doigts (par l'organisation du clavier, les règles de la langue et la structure de ma pensée). Mais ces critères rendent possibles et donnent sens aux mouvements des doigts, c'est-à-dire qu'ils ouvrent un espace de choix. Mes doigts sont libres dans la situation décrite. De toute la dialectique de la liberté que révèle l'analyse de la situation. En d'autres termes : la situation est culturelle et, de ce fait même, constitue un espace de liberté pour mes doigts. Pour le formuler de manière paradoxale : la culture est naturelle pour les doigts et, en dehors d'elle, les doigts ne sont pas comme ils « doivent être » : libres.

Comment les doigts se comportent-ils en dehors de la culture ? Par conséquent, lorsqu'ils ne sont ni violentés ni appropriés par les appareils établis ? Quel est le mouvement naturel des doigts ? Leur répertoire est réduit. Ils grattent, effleurent, peut-être montrent-ils et explorent-ils. Ils s'agrippent à des objets en peluche. De tels mouvements sont observables chez les nouveau-nés et, par extension, chez les primates. Ce sont, bel et bien, des mouvements conditionnés. Ils sont, en principe, explicables par les sciences de la nature. Ils sont le reflet des conditions internes au corps (tensions thermodynamiques et chimiques, informations génétiques, etc.) et de celles de l'environnement. Dans des situations naturelles, les doigts sont entièrement déterminés. La « révolution » d'un romantisme tardif qui vise à libérer les doigts de la violence exercée par l'appareil (par l'intermédiaire du « principe de plaisir », par exemple) vise, en réalité, à en limiter les mouvements au grattage. La véritable révolution ne sera pas le retrait des doigts de l'appareil, mais l'appropriation des appareils par les doigts. La situation décrite dans laquelle je me trouve écrivant le présent texte peut servir de modèle pour toutes les situations culturelles postérieures à une telle révolution de l'appropriation. C'est pourquoi elle doit être reconsidérée.

La machine à écrire a été fabriquée pour servir d'instrument à mes doigts. Elle est un prolongement de mes doigts. Cependant, il est clair que le rapport « machine – doigts » n'est pas simple mais dialectique et, pour cette raison même, facilement réversible. Pour que les doigts puissent se servir de la machine, je dois en apprendre le maniement. Je dois la connaître. Les primates peuvent taper à la machine sans la connaître et si un million de primates tapaient sur un million de machines durant un million d'années, ils produiraient nécessairement le présent texte. Nécessairement, mais non pas délibérément. La connaissance de la machine présuppose la liberté. La liberté n'est pas un espace intermédiaire entre le hasard statistique et la nécessité. Un tel espace n'existe pas dans la mesure où le hasard statistique se confond avec la nécessité ; et le million de primates le prouve. La liberté apparaît grâce à un saut dialectique par-dessus le hasard et la nécessité, saut rendu possible par la connaissance. Sans la connaissance, la machine à écrire ne relève pas de la culture, mais de l'environnement naturel, comme c'est le cas pour les primates. Dans nombre de situations, apparemment culturelles, nous nous servons des appareils comme si nous étions des primates. Parce que nous les ignorons partiellement ou totalement. Dans de telles situations, les appareils fonctionnent et nos doigts fonctionnent. Et c'est contre de telles situations fonctionnelles que les révolutions s'insurgent. Pour libérer les doigts.

Pour pouvoir connaître la machine à écrire, nos doigts doivent apprendre à l'utiliser de manière empirique ou grâce à des techniques élaborées *ad hoc*. C'est-à-dire qu'ils doivent apprendre à faire les mouvements adaptés à la machine, et, dans ce sens, doivent être appropriés par elle. Mais il ne s'agit pas d'appropriation aliénante. Il s'agit d'un processus dialectique, au cours duquel les doigts s'approprient la machine en même temps que la machine s'approprie les doigts. Apprendre, c'est ceci : vérifier ce qui peut être fait avec la machine et avec les doigts. Ou mieux, ce que les doigts peuvent faire avec la machine et ce que la machine peut pousser les doigts à faire. De sorte que machine et doigts en viennent à former les deux lignes d'horizon d'une relation dialectique (celle de l'écriture), où une ligne l'est pour l'autre. La machine est pour les doigts (faite pour eux) et les doigts, pour la machine (ils se déplacent de manière adéquate à cette dernière). Mais le rapport entre la machine et les doigts n'est pas symétrique (à tel point que la situation d'écriture peut devenir effectivement aliénante, comme c'est le cas pour les dactylographes dans les bureaux et les banques). La relation n'est pas symétrique parce que le mouvement de la machine est déterminé par le mouvement des doigts qui articulent la liberté.

Cette absence de symétrie n'est pas objectivement observable. Un martien qui observerait une telle situation impliquant des primates, des dactylographes et moi-même ne noterait aucune différence. Aussi attentivement qu'il observe les trois situations, il ne constatera que la dialectique entre le hasard et la nécessité, jamais la liberté. Celle-ci ne peut être constatée que par moi qui, à la fois, écris et transcende la situation dans laquelle j'écris. Je ne la transcende pas comme le fait le martien : en se distanciant. Je la transcende en participant. Non pas « métaphysiquement », mais de manière engagée. Je m'engage avec mes doigts dans cette situation et je la transcende en observant les doigts qui m'appartiennent. Je sais, grâce à une telle transcendance, que j'écris ce que je veux et non pas, comme pour les primates, ce que donnerait le hasard, ni, comme pour la dactylographe, ce qui lui a été demandé. Un tel savoir de ma libre volonté est incontestable, bien qu'il soit à la fois issu de la totale détermination de mon acte d'écrire et de ma décision de le faire. Il s'agit de la dialectique de *ma* conscience ; et le martien ne pourra jamais en faire le constat. C'est pourquoi la liberté n'est pas explicable et si elle l'est, elle cesse d'être telle. Et, cependant, le fait que je sois en train d'écrire librement est *pour moi* constatable concrètement. C'est le fait que vise toute révolution véritable.

Mes doigts sont incontestablement libres dans la situation décrite, bien qu'un tel fait ne puisse être expliqué. Au contraire, toute explication de la situation occultera le fait de la liberté en pointant les forces qui déterminent le mouvement de mes doigts. Toute explication révélera que la situation culturelle et naturelle dans laquelle je me trouve par la médiation de mes doigts me détermine totalement en déterminant le mouvement de mes doigts. Toute explication constitue, par conséquent, un alibi pour les défenseurs des situations aliénantes. Mais, curieusement, aussi pour ceux qui les contestent. Les défenseurs diront que la liberté n'existe pas, qu'elle n'est que préjugé et justifieront ainsi le pouvoir aliénant et déterminant de l'appareil (qu'il soit technocratique, politique ou consacré par la tradition). Les contestataires recommanderont, il est vrai, l'abolition des appareils déterminateurs mais par des méthodes qui évoquent les doigts des primates frappant furieusement les touches des machines à écrire jusqu'à les détruire. Ils veulent libérer les dactylographes en les transformant en primates. Par conséquent, bien qu'il y ait apparemment une contradiction entre défenseurs et contestataires, il existe, dans la réalité des faits, une collaboration entre eux. Les chimpanzés collaborent avec les gorilles parce que les deux sont d'accord sur le fait qu'il existe une contradiction entre le conditionnement culturel et la nature de l'homme. Seulement, les défenseurs des situations aliénantes optent pour le conditionnement de la culture et les contestataires pour le conditionnement de la nature. Mais une telle contradiction entre culture et nature n'existe pas nécessairement. La culture peut devenir la nature de l'homme. Elle l'est, en effet, dans un certain nombre de situations semblables à celle que l'on a décrite. Et la culture, en tant que nature de l'homme, est le champ de la liberté. En elle, les doigts peuvent réaliser leur potentialités. Voila ce que révèle l'observation de mes doigts tandis qu'ils tapent le présent texte.

Lune

Elle faisait partie, jusqu'à une date récente, de cette catégorie des choses visibles mais inaccessibles à l'ouïe, à l'odorat, au toucher ou au goût. Désormais, certains hommes l'ont atteinte. Cela a-t-il rendu la Lune moins improbable ? Descartes affirme que nous devons douter de nos sens parce que, entre autres raisons, ceux-ci se contredisent mutuellement. Jusqu'ici, la Lune n'était perçue que par un seul sens. Il n'y avait donc pas de contradiction entre eux. Maintenant, une telle contradiction est devenue possible. On peut, dorénavant, douter de la Lune, mais de manière différente. Par exemple : comment savons-nous que certains l'ont atteinte ? Parce que nous avons vu l'événement à la télévision et parce que nous avons lu la presse sur le sujet. Les images à la télévision sont douteuses : il peut s'agir de trucages. Si elles sont accompagnées de la mention *live from the Moon*, non seulement elles sont douteuses, mais elles deviennent suspectes. Celui qui dit « il pleut et c'est la vérité » dit moins que celui qui ne dit que « il pleut ». Quant aux journaux, leur crédibilité n'est pas absolue. De telle manière que nous pouvons douter que la Lune ait été atteinte. Mais un tel doute est-il encore moins raisonnable que cet autre : la Lune est-elle une fiction ou une réalité ? Moins raisonnable, parce qu'il est moins raisonnable de douter de la culture que de la nature. Douter de la nature est raisonnable, si cela se fait de manière méthodique, parce que cela a un intérêt pour les sciences de la nature. Mais douter de la culture (de la télévision et de la presse écrite) apparemment ne rime à rien. Puisque la Lune est passée (selon la télévision et la presse écrite) du domaine de la nature à celui de la culture, il est préférable de ne plus douter d'elle. Elle est passée de la compétence des astronomes, poètes et magiciens à celle des politiciens, avocats et technocrates. Et qui peut douter de ces derniers ? La Lune est désormais propriété immobilière (quoique mobile) de la N.A.S.A. Peut-il y avoir meilleure preuve de sa réalité ? La Lune est *real state* = état réel, et tout doute à son égard a disparu. Mais même ainsi, il y a des problèmes. Relatifs non pas tant à la Lune même qu'à notre être-au-monde. Des problèmes obscurs. Je vais en aborder quelques-uns.

Quand je regarde la Lune par une nuit dégagée, ce n'est pas un satellite de la N.A.S.A que je vois. C'est un C ou un D ou un disque lumineux. Je vois les « phases de la Lune ». La Lune change de forme. J'ai appris que ce changement est apparent, que la Lune elle-même ne change pas de forme. Pourquoi « apparent » ? L'ombre de la Terre n'est-elle pas aussi réelle que la Lune ? Le sens commun exige que je voie des changements non pas de la « Lune en soi » mais de « ma perception de la Lune ». Ce sens commun n'est pas extensible aux peuples primitifs. Ces peuples voient la Lune naître, mourir et renaître. Je vois la Lune non seulement avec les yeux mais encore avec le sens commun propre à ma culture. Un tel sens commun me demande de voir des « phases de la Lune » mais non pas (encore) une « propriété de la N.A.S.A. ». La vue est-elle un sens plus commun que le sens commun, c'est-à-dire commun a tous ceux qui possèdent des yeux ? Tous ceux qui ont des yeux peuvent-ils voir la Lune ? Les appareils photographiques comme les fourmis ? N'est-ce pas de l'anthropomorphisme que de dire que la Lune est vue par les fourmis ? Si je fabriquais une lentille structurellement identique à l'œil de la fourmi, verrais-je la Lune ? Ou bien n'y a-t-il de sens commun que pour les yeux humains, lequel exige des hommes qu'ils voient la Lune ? Existe-t-il une maladie de la vue occidentale qui me fait voir des « phases de la Lune » et une autre maladie plus généralement humaine qui me fait voir la Lune ?

Quand je regarde la Lune par une nuit dégagée, je ne vois pas un satellite appartenant à la N.A.S.A. même si je sais que ce que je vois est un satellite appartenant à la N.A.S.A. Je continue à voir un satellite naturel de la Terre ; ma vision n'intègre pas ma connaissance. Cette absence d'intégration de la connaissance à la vision est caractéristique de situations déterminées, que l'on appelle « crises ». Il est probable que les Grecs de l'Antiquité savaient que la Lune est une sphère, mais ils continuaient à voir en elle une déesse. Il est probable que les Mélanésiens savent que la Lune est un satellite de la N.A.S.A., mais ils continuent à voir en elle un symbole de fertilité. Dans une situation de crise, la vision du monde ne parvient pas à intégrer la connaissance.

Pour voir la Lune, je dois la regarder. Il n'est pas nécessaire d'écouter le vent pour l'entendre. Je peux, mais je n'y suis pas obligé. Pour voir, je dois bouger les yeux et la tête. « Lever les yeux au ciel. » Je dois faire ce que les chiens font pour entendre et sentir : ils bougent le museau et les oreilles. Leur monde doit être différent du nôtre. Pour nous, les sons et les odeurs sont *donnés*, mais les lumières sont produites par l'attention (le mouvement) que nous leur portons. Pour les chiens, les sons et les odeurs sont également produits. Nous vivons dans deux mondes : l'un est donné et l'autre produit par l'attention que nous lui prêtons. En cela, la vue ressemble au toucher : elle se dirige vers le phénomène qui doit être produit. L'explication « objective » selon laquelle la vue est une réception d'ondes électromagnétiques émises (comme l'ouïe est la réception d'ondes sonores) masque le fait que les yeux ressemblent davantage à des bras qu'à des oreilles. Ils cherchent, ils ne restent pas immobiles. Cela est important, comme dans le cas de la Lune, qui est visible, mais non pas audible. On l'a cherchée, elle n'a pas été perçue négativement.

Les cultures qui ne lèvent pas leur regard vers le ciel, mais qui concentrent leur attention sur le sol (celles dites « telluriques »), ne cherchent pas, ne « produisent » pas la Lune. Les cultures qui passent leur temps à regarder le ciel (celles dites « ouraniennes ») « produisent » la Lune qui finit par y occuper un rôle important. La Lune est, dans ce sens, un « produit » de ces cultures. Comment donc puis-je affirmer que la N.A.S.A. a fait de la Lune phénomène naturel un phénomène culturel (instrument de l'astronautique) en l'atteignant s'il est vrai que la Lune a toujours été le produit de la culture « ouranienne » qui est la nôtre ? Pour répondre à cette question, je dois regarder la Lune de plus près.

Que signifie « regarder de près » ? Cela peut vouloir dire s'approcher de la Lune en escaladant une montagne ou grâce à une fusée. Cela peut signifier s'en approcher avec un télescope et des artifices semblables. Mais ce n'est pas cela que je veux dire. Comme la Lune n'est pas un donné, mais un cherché étant donné l'attention qui lui est accordée, « la regarder de près » peut signifier la regarder avec une plus grande attention pour la voir plus distinctement. Donc si, par une nuit dégagée, j'allais la regarder avec cette plus grande attention, je verrais pourquoi elle me paraît être un phénomène naturel. Je ne peux pas la voir où et quand je veux. Bien que je doive vouloir la regarder pour la voir, un tel désir est conditionné par la Lune elle-même. La Lune est produite par mon désir de la voir, mais un tel désir s'inscrit dans les règles du jeu de la Lune elle même. La Lune m'impose ses propres règles du jeu. C'est pourquoi il est difficile de douter d'elle et de la manipuler. La Lune n'est pas le fruit de mon imagination, elle est chose de la nature.

Mon regard a montré que la Lune n'est pas le produit de mon imagination, mais pour l'instant, elle n'a rien prouvé en ce qui concerne son appartenance à la nature ou à la culture. La Lune est têtue. Elle impose ses règles du jeu. Je ne la vois dans sa position qu'en raison de sa propre nécessité, nécessité appelée « lois de la nature ». Les choses de la culture ne sont pas têtues de la sorte. Elles se trouvent là où elles doivent se trouver pour être à mon service. Si je veux voir mes chaussures, je regarde dans la direction où elles sont censées se trouver, je les vois et je m'en sers. C'est cela, l'essence de la culture. Si je veux voir la Lune, je suis obligé de regarder dans la direction où elle se trouve par nécessité. C'est cela, l'essence de la nature. C'est pourquoi je perçois la Lune comme un phénomène de la nature, bien que je sache qu'actuellement la Lune n'est plus là où elle est nécessairement, mais qu'elle se trouve maintenant là où elle doit être pour servir de base aux voyages vers Vénus. Je ne suis pas encore capable de percevoir l'utilité de la Lune. Je la vois inutile, avec obstination. Je la vois encore comme un satellite de la Terre.

Mais mon regard n'a pas fourni de réponse satisfaisante à ma question. Je ne me suis pas posé la question de savoir pourquoi je vois la Lune comme une chose naturelle en dépit de la N.A.S.A., mais celle de savoir pourquoi je la vois ainsi en dépit du fait qu'elle est, depuis toujours, un produit de l'aspect « ouranien » de ma culture. Je ne me suis pas interrogé, par conséquent, sur la raison de mon incapacité à intégrer une connaissance nouvelle, mais sur la raison de mon incapacité à me remémorer les origines. Je dois aider mon regard pour le pousser à donner une réponse à une question aussi difficile. Pourquoi ne vois-je pas que la Lune est, à l'origine, le produit de ma culture et la vois-je comme si elle m'était donnée ? La réponse commence à se formuler. Parce que j'ai un rapport ambivalent à ma culture. D'un côté, j'admets que ma culture est composée de choses qui attendent, fidèlement, que je les utilise. De l'autre, je dois admettre que je ne peux pas me passer de ces choses. C'est pourquoi la Lune est l'exact contraire de mes chaussures. La Lune est nécessaire, mais on peut s'en passer. Les chaussures sont délibérées (contingentes) mais indispensables. La Lune m'impose ses règles en raison de sa nécessité têtue. Les chaussures m'oppriment en raison de leur contingente nécessité. C'est pourquoi je ne peux pas voir que la Lune a été, à l'origine, produite par ma culture. Pourquoi ma culture aurait-elle produit du nécessaire dont on peut se passer ?

C'est parce que ma vision est déformée par un préjugé qui est partie intégrante du sens commun de ma culture : tout ce qui est nécessaire et dont on peut se passer, je l'appelle « nature » ; tout ce qui est contingent et indispensable, je l'appelle « culture ». Le progrès, c'est transformer les choses nécessaires et dont on peut se passer en choses contingentes et indispensables. La nature est antérieure à la culture et le progrès consiste à transformer la nature en culture.

Quand la N.A.S.A. a atteint la Lune et l'a transformée en base, un pas supplémentaire en direction du progrès a été accompli.

Un tel préjugé du sens commun est contradictoire du point de vue logique, faux du point de vue ontologique, insoutenable du point de vue existentiel et il doit être abandonné. Et, si je parviens à l'écarter, je verrai plus distinctement la Lune. Maintenant, je vois avec surprise que loin d'être un phénomène naturel en train de se transformer en culturel, la Lune est, et a toujours été, un phénomène culturel qui commence à se transformer en naturel. Voici ce qu'est, en réalité, la culture : un ensemble de choses nécessaires qui deviennent de plus en plus indispensables. Et voici ce qu'est, en réalité, la nature : un ensemble de choses contingentes et indispensables. La nature est le produit tardif et le luxe de la culture. Mon regard vers la Lune le prouve de la manière suivante :

Imaginons un instant que la N.A.S.A. ait réellement transformé la Lune, phénomène naturel, en phénomène culturel. Il s'agirait alors d'une circonstance particulièrement heureuse pour un « retour à la nature ». Il suffirait de couper les subventions de la N.A.S.A. et la Lune redeviendrait un sujet pour poètes et échapperait à la compétence des technocrates. Parce que le romantisme (de Rousseau aux hippies inclus), c'est cela : couper les subventions de la N.A.S.A. Mais se serait-il agi là d'un « retour » ? Non, il se serait agi d'un progrès. Avant la N.A.S.A., la Lune était le produit de la culture « ouranienne » occidentale qui avait pour objectif à long terme de la faire manipuler par la N.A.S.A. Nos ancêtres du néolithique ont dirigé leur regard vers la Lune (et ainsi la « pro-duisirent ») afin de la transformer, en dernière instance, en base pour Vénus. Et c'est ce que nous voyons, nous, leurs descendants lorsque nous regardons dans sa direction : symbole de fertilité, déesse, satellite naturel sont les différentes étapes sur le chemin de la base. Nous considérons toujours la Lune comme une base potentielle, bien que nous ne le sachions pas de manière consciente. La N.A.S.A. est en germe dans le premier regard dirigé vers la Lune.

Par conséquent, couper les subventions de la N.A.S.A. serait devancer la N.A.S.A. elle-même. Ce serait transformer la Lune en objet de « l'art pour l'art »[8], contingent, dont on peut se passer et que les poètes peuvent chanter. Et un tel objet, nous pouvons le nommer « objet de la nature » en un sens existentiellement acceptable. Cette transformation de la culture en nature se produit en tous lieux. Dans les Alpes, sur les plages, dans les banlieues des grandes villes. Les romantiques du XVIIIe siècle « découvrirent » la nature (c'est-à-dire, l'inventèrent), et les romantiques de notre « fin de siècle »[9] sont en train de la réaliser. L'une des méthodes de cette transformation s'appelle « écologie appliquée ». Si une telle méthode est appliquée à la Lune, celle-ci deviendra naturelle. De telle manière que lorsque nous irons regarder la Lune, par une nuit dégagée, et que nous la verrons comme un phénomène de la nature, ce n'est pas son passé pré-N.A.S.A. que nous verrons mais son état post-N.A.S.A. Notre vision sera prophétique, c'est-à-dire inspirée par le romantisme. Car c'est bien ce que nous faisons toujours : nous regardons la Lune à la manière romantique. C'est pourquoi nous la voyons comme si elle était déjà un objet de la nature et non pas comme nous savons qu'elle est : un objet d'une culture qui vise à la transformer en base.

Voilà une réponse dérangeante. La Lune est perçue comme un objet de la nature, c'est-à-dire, comme le dernier produit de notre culture. Dans ces conditions, comment m'engager dans la culture si celle-ci tend à se transformer en sa propre trahison, en nature romantique ? Une telle question, toutefois, ne concerne pas la Lune. Cette dernière continue imperturbable à suivre son chemin nécessaire et dont on peut, pour l'instant, se passer. Une telle question n'avance à rien. Rien ne sert de porter les yeux vers elle. *Lift not your eyes to it, for it moves impotently just as you and I.*

8. En français dans le texte. (N. d. T.)
9. En français dans le texte. (N. d. T.)

Montagnes

Venant de la plaine, qui s'approche d'une chaîne montagneuse, et tout à coup pressent que ces formes nuageuses bleues apparaissant à l'horizon pourraient être des montagnes, peut nourrir les pensées suivantes : je soupçonne que ces formes à l'horizon sont des montagnes et non pas des nuages, bien qu'elles paraissent être des nuages, parce que je sais que les montagnes, vues de loin, ressemblent à des nuages. Si je ne l'avais pas su, jamais ce soupçon ne me serait venu à l'esprit. Dans quelques minutes, je confirmerai ou non ce soupçon : je verrai si ces formes sont des montagnes ou des nuages. Mais supposons que je n'aie jamais vu de montagnes ou que je n'en aie jamais entendu parler : il ne fait, à l'évidence, aucun doute que ces formes à l'horizon sont des nuages. Et, dans quelques minutes, lorsque ces formes se seront révélées comme n'étant pas des nuages, que verrai-je ? N'aurai-je pas une expérience tellement extraordinaire et violente que j'en éprouverai un choc ? Un choc capable de me tuer ? Pour qui ne connaît que les plaines, pour qui le paysage est toujours plat, il sera difficile de survivre à la confrontation avec quelque chose d'aussi immensément extraordinaire, d'aussi gigantesquement absurde que les montagnes. L'émotion que l'on ressent à l'approche d'un massif montagneux est un pâle et tardif reflet de la terreur sacrée que doivent avoir ressentie nos ancêtres sibériens lorsque, pour la première fois, ils aperçurent les chaînes montagneuses des hauts plateaux du Pamir. (Si l'hypothèse selon laquelle nos ascendants sont des peuples de la steppe s'avérait correcte.) Cette terreur première doit être enfouie dans notre inconscient collectif.

Regarder les montagnes avec des yeux de nomades de la steppe n'est cependant pas la seule manière de les voir « sans préjugé ». Une autre consiste à les voir avec les yeux de montagnards qui n'ont jamais quitté leur pays. De quelle manière voit-il la montagne celui qui en connaît tous les sentiers grimpant à son flanc, toute sa faune et sa flore ? Voit-il la montagne avec ses sentiers, ses animaux et ses plantes telle que nous la voyons ? Ou bien voit-il les sentiers, les animaux et les plantes pris dans une structure appelée « montagne » ? Voyons-nous donc, nous, une montagne couverte d'accidents déterminés et voit-il, lui, des choses déterminées reliées entre elles en forme de montagne ? Question à laquelle on ne peut répondre parce que l'on ne peut disposer ni des yeux du montagnard ni de ceux du nomade de la steppe. Nous sommes condamnés à voir les montagnes avec les lunettes des préjugés de notre culture. Nous vivons, en conséquence, dans un monde où, vues de loin, les montagnes ressemblent à des nuages.

En admettant que nous voyions des montagnes au travers de préjugés culturels (à la manière de l'Occident, du vingtième siècle, de la bourgeoisie, etc.), le montagnard et le nomade les voient-ils sans préjugé (naïvement) ? Non, certainement pas. Le montagnard les voit (si tant est qu'il les voie au sens strict) conditionné par sa culture. Et sa culture conditionne le nomade à ne pas s'attendre à les rencontrer ; d'où le choc reçu. La « vision ingénue sans préjugé » n'est pas la vision primitive, originale ou antérieure à toute culture. C'est une vision ardemment désirée par une élite de culture occidentale, produit tardif de tout un développement millénaire. L'ingénuité est un idéal d'une culture désenchantée, idéal que l'on peut atteindre par des méthodes délibérées. Une ingénuité non délibérée est inimaginable et n'existe pas (chez les enfants non plus).

Mais il n'en reste pas moins ce fait : qui veut voir les montagnes telles qu'elles sont, et non pas comme un certain nombre de préjugés nous font croire qu'elles sont, doit essayer de les voir avec ingénuité. Et doit tenter de le faire de manière délibérée, c'est-à-dire de les voir non pas avec les yeux de supposés « primitifs », mais avec des yeux spécialement agencés pour visions ingénues dans les laboratoires des spécialistes en phénoménologie. En d'autres termes, si j'essaie de « donner la parole aux montagnes pour qu'elles me révèlent ce qu'elles sont », je suis en train d'adopter une attitude conditionnée par un stade déterminé, hautement sophistiqué, de ma culture. Cette contradiction apparente paraît être inévitable, et n'invalide pas nécessairement les résultats éventuellement obtenus par une vision ingénue délibérée.

Supposons donc que je sois un bourgeois du XXe siècle qui se dirige vers le Jura par la route de Bourg-en-Bresse pour le voir tel qu'il est et non tel que les touristes le voient. (Les touristes étant des bourgeois du XXe siècle qui se dirigent vers le Jura par la route de Bourg-en-Bresse pour le voir comme il est selon un des modèles déterminés.) Ma tâche consistera à obtenir une vision délibérément ingénue du Jura ; et cela implique la suspension des préjugés que je nourris à son égard. Mais là, je peux vérifier que ces préjugés ne constituent pas nécessairement un obstacle pour voir l'essence de la montagne. Ils peuvent, au contraire, constituer de puissantes médiations pour ma vision de la « montagnité ». Même s'il s'agit de préjugés superficiels qui paraissent sans rapport avec le phénomène de la montagne même. En effet, c'est exactement ce dont je fais l'expérience lorsque je gagne le Jura par la route. J'alimente des préjugés vis-à-vis du Jura, dont certains ont trait au nom (au nom seul) du massif montagneux. En tentant de mettre entre parenthèses l'un de ces préjugés (tâche modeste et apparemment très facile), il se passe la chose suivante :

Je me souviens d'avoir appris au lycée qu'il existe une période de l'histoire de la Terre appelée « jurassique » occupant la partie centrale du Moyen Âge de la Terre. Je suppose que ce nom est dû au fait que les roches du Jura ont servi aux premières recherches concernant la période (laquelle, si je ne me trompe, est liée à des reptiles gigantesques). Donc, cela signifie que ce massif montagneux que je commence à gravir s'est formé durant cette période et que les roches blanchâtres qui commencent à briller parmi les arbres des forêts multicolores étaient jadis utilisées par les brontosaures pour pondre leurs œufs et par les ptérodactyles pour s'envoler comme le font aujourd'hui les jets pour atteindre l'aéroport de Genève. (Sauf que, je suppose qu' il n'y avait à l'époque ni lac Léman à survoler ni Alpes ni Europe.) Tout cela n'est pas de la connaissance mais une salade mal digérée d'information scolaire assimilée de manière superficielle. C'est du préjugé. Je ne peux faire comme si le préjugé était ni plus ni moins déductible lorsque je regarde ces montagnes. Puisque je me souviens de lui, le ptérodactyle y est aussi présent que le sont les feuilles d'automne (bien qu'ils occupent un degré de réalité différent). Je peux faire deux choses : vérifier mon préjugé concernant le jurassique dans la première librairie de Saint-Claude et regarder ensuite les montagnes avec une meilleure connaissance (bien que nécessairement superficielle et scientifiquement sans intérêt). Je ne parviendrai pas à une vision ingénue des montagnes de cette manière. Je peux aussi tenter de réduire mon préjugé, non pas totalement, mais de manière à atteindre l'essence des montagnes, qui est la suivante : ce sont des choses qui ont une histoire ou, plus exactement, une biographie. Que se passerait-il si je regardais ces montagnes avec un préjugé réduit de la sorte ? Ceci :

Lorsque je dis que ces montagnes-ci ont une biographie, je veux dire qu'elles résultent d'un processus qui commence avec leur formation (« naissance »), finit avec leur nivellement (« mort ») et passe par des phases pendant lesquelles des accidents peuvent les modifier. Elles apparaissent comme quelque chose de nouveau (comme des chatons nouveau-nés et des automobiles zéro kilomètre), vieillissent, sont utilisées et usées (comme un chat qui a perdu un œil ou une voiture de deuxième main qui a subi un accident de la circulation) et disparaissent de la surface (comme un chat mort et une automobile recyclée). Maintenant, lorsque je regarde ces montagnes, je ne vois qu'un moment de leur biographie. Et maintenant que je revendique ce préjugé à leur égard, je vois cela clairement. Les montagnes du Jura sont dans la fleur de l'âge, le Massif Central, par où je suis passé hier, est un vieux décrépit et les Alpes de l'autre côté du lac (dont je vois les contours tourmentés) sont en pleine puberté. Il ne s'agit plus de préjugé : je le vois nettement dans le phénomène lui-même. Mais voici ce qui est important : je ne l'aurais pas vu si je n'avais pas alimenté le préjugé.

Bien que la montagne résulte d'un processus de structure diachronique semblable à celui de ma voiture et de ma main, je vois aussi qu'il existe la différence suivante : ma propre biographie englobe celle de ma voiture, qui est englobée par celle de la montagne. Ma voiture est un accident dans ma vie, et ma vie, un accident dans l'histoire de la montagne. Désormais, cela n'est plus un préjugé : je puis le constater si je regarde ma voiture, ma main et cette montagne. Je vois concrètement que la voiture est plus éphémère que ma main et la main, davantage que la montagne ; et je vois qu'un tel fait n'a rien à voir avec la taille et la matière de la chose. La voiture est plus grande que mon corps, mais je vois que je peux lui survivre. La voiture est faite d'acier, qui est plus durable que le matériau de la montagne (sans parler du matériau de mon corps), mais je vois que la montagne survivra à la voiture. La différence réside dans le rythme des trois choses (la voiture, la main et la montagne) et moi, aussi incroyable que cela soit, je vois cette différence. Ce que nous appelons « vie » est un processus au rythme spécifique, et c'est pour cela que je vois que la montagne n'est pas une chose vivante : non pas parce qu'elle n'est pas faite d'acides aminés ou parce qu'elle est grande mais parce qu'elle obéit à un rythme différent. Si je pouvais pénétrer un tel rythme, j'accèderais à l'essence de la montagne. Mais je ne parviens pas à le faire.

Pénétrer un rythme, c'est vibrer avec, être en « sympathie ». Une telle sympathie est considérée comme « connaissance » par les pythagoriciens. Ils concevaient le monde comme un ensemble de choses qui vibrent selon des rythmes différents et la connaissance, comme sympathie avec tous les rythmes. Un telle connaissance était possible grâce à la mathématique et à la musique, parce qu'elles constituent les structures de tous les rythmes possibles. Si je vois la montagne comme je la vois maintenant, c'est que je la vois à la manière pythagoricienne : j'essaie de découvrir son essence, c'est-à-dire son rythme. Mais avec cette différence : je ne crois plus que je puisse y parvenir avec la mathématique. Je sais que la mathématisation de la montagne va avoir pour conséquence l'apparition de plusieurs sciences de la nature et non pas la découverte de l'essence de la montagne. Parce que la mathématique n'est pas la structure de tous les rythmes possibles, mais seulement celle de l'intellect humain. Quant à la musique, je ne sais rien de son efficacité en tant que méthode pour découvrir l'essence des montagnes. Elle a été peu utilisée à cet effet dans ma culture. Mais je soupçonne qu'elle possède autant que la mathématique un rythme humain puisqu'elle est proche parente de cette dernière. Je regarde la montagne plus ou moins comme le faisait Pythagore ; je perçois, comme lui, le rythme de la montagne. Mais j'ai perdu sa conviction selon laquelle un tel rythme est mathématiquement exprimable et les nombres sont l'essence de la montagne. Si perdre ses convictions c'est être plus ingénu, je suis plus ingénu que lui. Lui et moi nous trouvons aux deux extrémités opposées du processus appelé « histoire de la science de la nature ». Lui ignorait tout des ptérodactyles et moi j'ignore tout de l'essence de la montagne. L'histoire de la science est un processus tout au long duquel le savoir « essentiel » a diminué et l'« ingénuité » a augmenté.

Je ne peux pas entrer en sympathie avec la montagne. Car cette incapacité de ma part est la manière dont la montagne se révèle. Elle se révèle comme une chose dont le rythme peut être perçu, mesuré, voire utilisé, mais qui ne peut pas être absorbé de manière existentielle. Voici un aspect de l'essence de la montagne : être une chose qui obéit à un rythme qui ne peut être saisi de manière existentielle. La foi peut soulever les montagnes et le bulldozer peut en faire de même. Mais rien ne peut faire en sorte que je capte son rythme. Elle se trouve là, immobile et muette, passive dans sa beauté majestueuse, et après l'avoir gravie, je vois que ses roches synchronisent sa diachronicité en couches parallèles, faisant de l'« antérieur » le « plus bas ». Je la vois se déployer au soleil d'octobre dans les flammes des couleurs de sa forêt. Je sais et je sens la vibration dont elle est prise, mais je ne puis vibrer. Elle vibre à un rythme bien trop différent du mien. Voici ce que j'ai à l'esprit lorsque je dis « montagne » : un rythme impossible à capter malgré tout le savoir. Cependant, si la connaissance n'avait pas existé, cette essence ne se serait pas révélée. Si j'avais mis la connaissance en suspens, la montagne serait restée sur son rythme impossible à capter.

Je n'ai pas réussi à suspendre mon préjugé consistant à affecter le mot « Jura » d'une connotation particulière. Peut-être n'ai-je pas voulu le suspendre ? Ai-je eu raison de ne pas vouloir le faire ? Que celui qui parvient à pénétrer plus profondément l'essence de la montagne réponde à une telle question. Tâche qui peut être parfaitement menée à bien grâce à de nombreuses méthodes différentes de la mienne (toutes déjà mises au point). Quant à moi, je tâcherai de passer quelque temps au sein de la montagne. Non pas comme un nomade, ni comme un montagnard, ni comme un enfant, ni comme un touriste, mais comme une personne qui n'a pas pu et n'a pas voulu suspendre un certain nombre de préjugés concernant le Jura. En tant que personne condamnée à vivre avec de tels préjugés et, parfois même, à s'en délecter. Une autre forme de naïveté ?

Faux printemps

Le paysage que je vois lorsque je regarde par la fenêtre n'est pas tel qu'il devrait être et les choses là dehors ne savent pas comment se comporter. C'est la mi-février et le paysage devrait être couvert du manteau de l'hiver. Les prés devraient dormir, protégés par la neige. Les petites rivières et les cascades devraient, arrêtées et gelées, être en attente de la force libératrice du soleil de mars. Les pins devraient porter, altiers, leurs ornements de cristaux brillants. Les pommiers devraient paraître morts, avec leurs branches rabougries, nues, implorant leur résurrection en forme de fleur et de feuille. Les biches et les cerfs devraient avoir laissé leurs traces sur la neige, car ils devraient être descendus dans la vallée en quête de nourriture. Les seules choses mobiles dans le paysage vu de ma fenêtre devraient être des corbeaux au milieu d'un champ couvert de neige, des moineaux sur la terrasse cherchant des miettes et le chien poilu du voisin enfonçant maladroitement ses pattes dans la neige. Le bleu du ciel matinal devrait contraster avec la blancheur éclatante du paysage dans la transparence d'un air par dix degrés sous zéro. Ainsi devrait être la scène. Mais ce que je vois est différent.

Le pré en face de ma maison est d'une couleur gris paille ; mais il laisse voir par endroits un léger ton vert, comme s'il se souvenait d'un rêve interrompu. Au flanc des montagnes, les cascades descendent sur des roches nues que la neige a découvertes lorsqu'elle s'est réfugiée au-dessus de 1 200 mètres. Les pins sont verts comme en juillet. Les pommiers, quand on les regarde de près, apparaissent couverts d'ébauches de boutons et de bourgeons. Et la terrasse est pleine du chant d'oiseaux à la poitrine bleue, ou rouge, ou jaune ou encore au bec noir et jaune. J'ignore les espèces auxquelles ils appartiennent, mais je sais qu'ils devraient se trouver en Afrique et non pas dans les Alpes. En somme, le paysage est tel qu'il devrait être fin mars. Non, je rectifie. Si nous étions réellement fin mars, toute la surface du pré commencerait à verdir et les premières fleurs à y pousser. Les insectes voleraient au-dessus du pré, si bien que les oiseaux ne seraient pas sur ma terrasse mais en train de chasser les insectes. Et les pins ne seraient pas verts comme en juillet, mais auraient ce vert clair typique du printemps. Ce que je vois par la fenêtre n'est pas le printemps.

Cela ne fait aucun doute, la description de la vue que je découvre de ma fenêtre est aristotélicienne, mais elle ne l'est pas de manière intentionnelle. Mon paysage impose à la description les catégories aristotéliciennes apparemment dépassées depuis tant de siècles par la pensée occidentale. Si je dis que le paysage est tel qu'il doit être, je parle selon la justice (*dikè*). Si je dis que les choses ne savent pas ce qu'elles font (le pré, les cascades, les pins, les oiseaux, les biches), je ne fais pas preuve d'anthropomorphisme à leur égard. Je les considère comme des organes d'un super-organisme vivant (*kosmos*) et, à cet instant, malade. Lorsque je décris le désordre là dehors, je suis en train de parler selon le rythme (*pathos*). En somme, ce que je vois par ma fenêtre, c'est la « nature » au sens de la *phusis*. Ce que je vois, c'est que les choses naturelles ont des difficultés à trouver leur juste place dans la nature et que, par conséquent, la situation que je vois n'est pas naturelle ; et, donc, qu'elle est fausse. La situation naturelle, maintenant, à la mi-février, c'est la situation de l'hiver. Ce que je vois est un faux printemps.

Je le répète : je n'ai pas choisi intentionnellement les catégories aristotéliciennes. Comment aurais-je pu le faire ? Ces catégories ne sont pas les miennes. Jamais je ne dirai intentionnellement que le paysage n'est pas tel qu'il devrait être en février. Selon mes catégories, le « devoir être » se rapporte à la culture, et la nature est exempte de valeurs. De telle sorte que, pour moi, le paysage n'est pas tel qu'il doit être si une erreur a été commise au niveau de la plantation des pommiers. Moi, je ne dirai jamais intentionnellement que les choses ne savent pas comment se comporter. Selon mes catégories, les choses ne « savent » pas. Elles obéissent aux règles d'un jeu (« lois de la nature ») qui les déterminent. Jamais je ne dirai intentionnellement que le printemps que je vois est « faux ». Selon mes catégories, la fausseté est une propriété des propositions, ou, dans un sens différent, l'aspect esthétique d'œuvres humaines. Et jamais je n'affirmerai intentionnellement que le paysage qui m'entoure subit quelque injustice parce que son ordre a été perturbé. Je dirai qu'il y a, dans ce cas, plusieurs « ordres » superposés qui interfèrent. L'un de ces ordres est celui de la rotation de la terre autour de son axe (« hiver – printemps »). L'autre est celui des vents, déterminé, entre autres facteurs, par des phénomènes solaires. « J'expliquerai », de manière intentionnelle, la situation qui m'entoure par l'irruption de vents océaniques chauds dans les vallées alpines, irruption peu probable, mais parfaitement possible et, théoriquement, prévisible. Selon mes catégories pour appréhender une situation, il n'y a donc pas de place pour des concepts « moraux » comme celui de justice.

Davantage : je crois savoir comment sont apparues les catégories aristotéliciennes, pourquoi elles s'imposent au Moyen Âge et pourquoi et comment elles furent dépassées à la Renaissance. Je crois que de telles catégories sont le résultat d'une praxis déterminée et d'une idéologie précise caractéristique de l'Antiquité tardive. À savoir : de la praxis des artisans ainsi que de l'idéologie des grands propriétaires fonciers et des commerçants athéniens. Je crois que de telles catégories sont restées en vigueur durant le Moyen Âge parce qu'elles étaient adaptées à l'idéologie féodale (de l'Église) pour justifier la structure sociale alors en vigueur. Et je crois qu'une bourgeoisie révolutionnaire ayant une praxis et une idéologie différentes les a remplacées par d'autres catégories. Si bien que je crois savoir que les catégories aristotéliciennes reflètent un « être-au-monde » humain historiquement déterminé, depuis longtemps dépassé, et non pas une prétendue « structure objective » de la réalité. Et, cependant, j'ai eu spontanément recours à celles-ci pour décrire le paysage qui m'entoure.

Je ne peux pas nier que les catégories m'ont été imposées, d'une certaine manière, par les choses elles-mêmes. Les oiseaux sur ma terrasse se disputant les miettes que ma femme a placées là souffrent réellement du manque d'insectes. « Réellement », il n'est pas « naturel » que les pommiers débourrent maintenant parce que les bourgeons vont mourir lors des prochains froids. « Réellement », il n'est pas « juste » que la neige ait reflué aussi haut parce que la prochaine chute de neige va former une couche sans substrat et, par conséquent, produire des avalanches. De sorte que, réellement, les oiseaux, les pommiers et la neige sont désorientés. Ils sont « réellement » trompés et ils ne « devraient pas faire » ce qu'ils sont en train de faire. Il ne semble pas que ce soit Aristote qui dise cela, mais les choses elles-mêmes.

Il est clair que je peux échapper au problème épistémologique posé qui croise mon chemin et ma gorge, de deux manières au moins. Je peux dire que c'est Aristote, en fin de compte, qui est en train de parler et non pas les choses elles-mêmes. Parce qu'Aristote habite chez moi, très près de la surface de ma conscience, y dort d'un sommeil léger et qu'il a été réveillé par les événements du dehors. Les vents océaniques qui ont envahi ma vallée ont provoqué en moi une retombée épistémologique de plus de deux mille ans. Et je peux également dire que les oiseaux, les pommiers et la neige parlent, de fait, selon les catégories aristotéliciennes parce qu'Aristote a formulé de telles catégories lors d'observations aussi superficielles que la mienne. Mais aussi que les oiseaux, les pommiers et la neige se mettent à parler selon des catégories plus « avancées » lorsqu'ils sont observés avec davantage d'attention et des méthodes plus sophistiquées. De telle sorte que les catégories dans lesquelles les choses parlent dépendent de l'attention que je leur prête. Et que je leur prête « superficielle » (aristotélisante) lorsque je décris le paysage. Les deux manières d'échapper au problème sont également « bonnes » et, si on les analyse, elles sont peut-être réductibles l'une à l'autre. Mais elles ne me satisfont pas et le problème subsiste.

Elles ne me satisfont pas parce que je ne peux pas croire que le printemps est « faux » seulement si je le regarde de manière superficielle, et qu'il devient un phénomène météorologique parfaitement « normal » si je le regarde plus attentivement. Je crois que la situation qui m'entoure est les deux choses à la fois : un phénomène météorologique normal et un faux printemps. Et que cela ne dépend pas de l'attention que je lui prête. Il se passe que je ne vois le phénomène météorologique que si je regarde la situation d'une manière et le faux printemps si je le regarde d'une autre manière. J'admets que je dispose de plusieurs façons de voir la chose et que mon regard produit différentes aspects de la chose. Mais je ne peux pas admettre que ce sont mes regards qui ont placé là ces aspects. Les oiseaux parlent un langage suffisamment expressif et impératif pour que je puisse admettre cela. Dans le cas présent, ce sont les oiseaux eux-mêmes qui exigent d'être regardés de manière aristotélicienne. Si je me transportais mentalement au Brésil, il est possible que le problème se clarifierait.

Au Brésil, le rythme des saisons n'est pas parfaitement marqué. Il n'y a pas, comme ici, de différence fondamentale entre la mi-février et la fin mars. De sorte que la *phusis* y est moins dramatique (la Pâque est moins pathétique), et Aristote, moins plausible. Mais il y a au Brésil, à l'inverse de ce qui existe ici, une division dramatique entre le jour et la nuit, parce que la durée du jour ne varie pas autant qu'ici pendant l'année. Donc, imaginons qu'une nuit, à São Paulo, le soleil se lève à trois heures du matin, mais de telle manière que l'on puisse se rendre compte qu'il va se coucher d'ici une demi-heure. Il ne s'agirait pas d'un événement impossible au sens strict du terme. Seulement d'un événement infiniment moins probable que l'irruption d'air océanique dans les vallées alpines. Il s'agirait d'un faux matin, bien plus faux que le faux printemps décrit ici, parce que beaucoup moins probable, mais d'un événement du même type. Que se passerait-il ? Nous deviendrions tous fous, les hommes et les choses. Cela n'avancerait à rien de dire que la folie n'est pas raisonnable, qu'elle est primitive, et le phénomène parfaitement explicable lorsqu'il est observé plus attentivement. Qu'il s'est produit, par exemple, une interférence de l'étoile *Proxima Centauri* dans notre système solaire, très rare, mais théoriquement parfaitement prévisible. Qu'il s'agit, donc, d'un phénomène normal, qui confirme et n'invalide pas les catégories de l'astronomie. Un tel argument n'avancerait à rien. Malgré cela, nous deviendrions tous fous. Parce que, quoique l'argument soit « véritable », le matin n'en reste pas moins faux.

Dans le cas hypothétique du faux matin pauliste, le langage du Soleil ne nous imposerait pas des catégories aristotéliciennes (comme le fait le faux printemps) mais plutôt des catégories bien plus anciennes. Des catégories premières du type Râ, Athon et Marduk et Chemech. Des mythes solaires. Parce que le Soleil cassait, dans le faux matin pauliste, de telles catégories mythiques premières, nous deviendrions fous. Et parce que le vent n'a cassé que des catégories aristotéliciennes, nous ne devenons pas fous, nous perdons seulement le Nord. Car toutes les catégories (mythiques, aristotéliciennes, celles de la science moderne et d'autres) sont *nos* manières de voir les choses. Historiquement explicables comme produits de la dialectique de la praxis et de l'idéologie. Mais pas pour autant imposées de manière arbitraire aux choses. Néanmoins, curieusement révélatrices. Les catégories reflètent « quelque chose » des choses, mais, toutes, elles le font de manière approximative. Les choses peuvent casser les catégories : toutes. Il peut y avoir un faux matin et un faux printemps, et les pierres peuvent tomber selon une accélération non géométrique, en somme : toutes les catégories peuvent être « falsifiées » par les choses. Quand cela se produit, nous perdons le Nord ou nous devenons fou ou nous élaborons simplement de nouvelles catégories. Également « falsifiables ». Et notre réaction aux falsifications dépendra de la profondeur des couches de notre conscience (et des choses) où se trouvent les catégories.

Nous ne vivons, par conséquent, pas dans *une*, mais dans de multiples natures. Dans la nature que les catégories de notre science de la nature peuvent capter. Dans la *phusis* aristotélicienne, dans la nature remplie de dieux, dans la nature créée par Dieu. Toutes ces natures sont là, devant la fenêtre, mais ici aussi, à l'intérieur. Elles interfèrent, « réellement » l'une dans l'autre. Et, parfois, l'une d'elles a le dessus. Comme, en ce moment, la *phusis* aristotélicienne a le dessus parce qu'elle a été cassée sous la forme du faux printemps. Elle s'est imposée, parce qu'elle a été cassée. Et cela n'est plus une « explication » mais le témoignage d'une expérience concrète.

Prairies

Lorsque je les observe, découpées dans la masse compacte de la forêt, formant des clairières de douce lumière dans l'ombre mystérieuse qui les entoure, ce n'est pas tant à Heidegger, le glorificateur des prairies, que je pense. (Bien que je ne sois pas certain que le lecteur brésilien se rende compte que « Heidegger » signifie « cultivateur de clairières dans la forêt ».) Je pense davantage au deuxième vers du passage des *Métamorphoses* qui décrit la situation à l'Âge d'Or : « *Sponte sua sine lege fidem rectumque colebant* », c'est-à-dire « spontanément, sans lois ils cultivaient la bonne foi et ce qui est droit ». Lu dans son contexte et au lycée, le vers impressionne par la beauté de sa musique, l'élégance de ses mots et la majesté de son rythme. Quant à son contenu sémantique, il semble lié aux derniers mots du vers précédent : « *quae vindice nullo* » (« en l'absence de juges »). Mais la charge sémantique de ce vers remémoré pendant l'observation de prairies, acquiert de nouvelles dimensions. Pour qui possède une « culture classique », il est pratiquement inévitable de rappeler ce vers, tant il reste profondément gravé dans la mémoire.

Ainsi, lorsqu'on se rappelle ce vers, chaque mot acquiert une aura de significations qui pénètre la vision de la prairie. Elle mérite d'être analysée. Mais le mot décisif est le dernier : *colebant*. Je doute qu'il soit actuellement possible de le traduire de manière adéquate. Nous n'employons plus le verbe *colere* bien que nous utilisions encore deux de ses substantifs dérivés : *cultus* et « culture ». Dire que le terme *colere* signifie « récolter » [10], ou « cultiver », ou « rendre un culte », ou « espérer en », c'est n'avoir rien compris à son atmosphère. Bien sûr, l'atmosphère est agreste, esthétique, religieuse et pleine d'humilité ; mais il y a, dans cette atmosphère, quelque chose qui nous échappe. Si le vers affirme que nos mythiques ancêtres « cultivaient la bonne foi et ce qui est droit », c'est principalement à ce quelque chose qu'il fait allusion. Mais la prairie peut nous aider à saisir ce quelque chose.

En latin, la prairie ou le champ, se dit *ager*. Mais comme *ager* et *actio* sont des substantifs du verbe *agere*, peut-être conviendrait-il de dire que, pour les Romains, la prairie et le champ étaient des « champs d'action », c'est-à-dire, des champs de bataille. Bataille contre quel ennemi ? Contre le champ lui-même. L'objectif était de dominer le champ. « Dominer », c'est-à-dire soumettre à la maison (*domus*). Celui qui luttait dans le champ contre le champ était le *dominus* (le maître de maison). Il était « mâle » (*vir*) et luttait avec « machisme » (*virtus*). En vertu (*virtus*) d'un tel machisme, le champ se soumettait à la domination (*imperium*) de la maison (*domus*). Il s'agissait d'un acte sexuel (*actio*) par lequel le champ (*ager*) devenait récoltable (agriculture). Mais pas immédiatement. Il fallait attendre pour pouvoir cueillir (*colere*) ce qui allait naître dans le champ (« nature »). Une telle attente et un tel espoir du maître dans sa vertu impériale et impérieuse était *cultus*. En somme, *colere* est la victoire, patiemment attendue, de la vertu dominatrice et impérieuse sur la nature aboutissant à la culture.

La prairie paisible que j'observe, entourée du mystère de la forêt, est en harmonie avec le contexte de cette signification du verbe *colere*. Elle est paisible, parce qu'elle est le champ d'une bataille gagnée. *Pax romana* est synonyme d'*Imperium romanum*, bien que nous ayions oublié qu'à l'origine paix et impérialisme étaient confondus. La prairie est pacifique parce qu'elle a été dominée par la vertu

10. *colher* peut également avoir le sens de « cultiver ». (N. d .T.)

patiente il y a très longtemps. Il nous est difficile de saisir intellectuellement qu'action et passion, activité et passivité sont les deux versants d'une même attitude : celle qui transforme la nature en culture. Intellectuellement, c'est difficile, mais c'est facile du point de vue du vécu de la contemplation de la prairie. La prairie irradie la synthèse pacifique d'une activité et d'une passivité millénaires, c'est-à-dire qu'elle irradie une nature domptée.

Les flancs de la montagne, qui portent aujourd'hui des prairies entourées de forêts, ont dû en d'autres temps être couverts d'une forêt dense. En d'autres temps, mais pas de tout temps. Au cours de la dernière période glaciaire, ils ont dû être couverts en partie de glaciers et en partie de toundra. Sur cette toundra, nos ancêtres ont dû chasser le renne et le cheval. Ensuite, la forêt avance inexorablement avec le recul du gel, mais nos ancêtres n'ont pas reculé bien qu'ils fussent menacés de faim par la disparition des animaux de la toundra. Ils n'étaient pas des animaux, nos ancêtres, ils étaient des *domini*, ils avaient de la vertu, ils agissaient et avaient de la patience, ils étaient cultivés. Ils n'ont pas reculé comme ont reculé les animaux de la toundra, et ils ne se sont pas adaptés à la forêt qui avançait comme les espèces qui l'habitent aujourd'hui. Ils ont fait face à la forêt, fiers et droits : « *fidem rectumque colebant* ». Et ils lui ont fait face, non pas parce qu'ils y étaient obligés : « *sine lege* ». Ils y ont fait face parce qu'ils étaient : « *sponte sua* ». Spontanément, c'est-à-dire conformément à leur nature d'hommes. Il est, par conséquent, naturel qu'ils aient ouvert des clairières dans la forêt afin de la dominer. En vertu de leur statut d'hommes, il est naturel que nos ancêtres « aient choisi » = *excolebant* certains endroits de la forêt pour les transformer en cultures, en prairies.

Nous savons à peu près comment ils procédaient. Ils se lançaient sur la forêt à coups de pierres et avec du feu. Il est plus difficile de savoir comment ils faisaient leur choix. Pour pouvoir choisir un lieu déterminé dans un contexte donné, et pour être capable de rejeter tout autre endroit, il faut être hors du contexte, le percevoir de l'extérieur. Ce qui nous est difficile, c'est de comprendre cette transcendance chez des gens comme nos ancêtres, que nous supposons également « primitifs ». C'est que nous avons tendance à les comparer aux indigènes actuels, alors même que nous n'évaluons pas correctement la manière dont ces derniers sont dans le monde. Ces indigènes qui vivent au niveau du paléolithique, comme nos ancêtres maîtres de la forêt, font certainement face à la nature avec la même transcendance que nous. Mais, même ainsi, ils ne nous donnent pas un exemple de l'être-au-monde de nos ancêtres. Ils représentent, probablement, un mode de vie premier et, assurément, un mode de vie dépassé par la majorité de l'humanité. Nos ancêtres, au contraire, étaient l'avant-garde de l'esprit humain qui avançait contre la nature. La pierre et le feu étaient des armes par eux inventées et élaborées de manière révolutionnaire et l'idée du choix du pré et de sa mise en valeur était le fruit de l'imagination révolutionnaire, utopique et jusque-là inédite. Ce n'étaient pas des primitifs, au sens où ils auraient été moins sophistiqués dans leur réflexion ou leur praxis que les générations d'aujourd'hui. Au contraire, si nous essayons de comprendre leur imagination, leur discipline et leur rigueur de pensée et d'action (par exemple, si nous tentons de comprendre l'esprit de l'inventeur de l'arc), nous devons conclure qu'ils n'avaient rien à envier, en matière de capacités mentales, à notre élite la plus raffinée.

Nous avons la preuve qu'il y avait des Édison au sein des prétendues « hordes » défricheuses de prairies (céramique, limes de pierre, aiguilles d'os). Nous somme obligés d'admettre la présence d'Einstein parmi eux (ceux qui calculaient la trajectoire de la flèche et le principe du coin). Nous avons des preuves de l'existence de leurs Picasso (l'élégance des ornements). Nous sommes obligés d'admettre qu'ils avaient leurs Kant (ceux qui critiquaient le principe du coin et l'élégance des ornements) et leurs Kafka (ceux qui trouvaient un sens derrière telle action et passion). Nous devons, par conséquent, imaginer les dialogues autour des foyers dans les prés récemment mis en culture davantage comme des réunions de recherche et de réflexion avancées que comme les *potlatchs* actuels des Indiens des îles Aléoutiennes. Sinon, nous ne comprendrions pas l'élégance, la perfection fonctionnelle et la douceur qui émane des prés à flanc de montagne. C'est ce qu'Ovide qualifie de *fidem et rectum*. Et l'observation du pré permettra également de pénétrer un peu l'atmosphère religieuse de nos ancêtres. À savoir : ce qu'Ovide avait à l'esprit en disant que nos ancêtres de l'Âge d'Or *fidem colebant* (« rendaient un culte à la foi »).

Le terme ovidien *rectum* ne nous pose pas trop de problème parce que le pré donne la preuve d'être dans le lieu choisi, correct, adéquat. Le critère de « rectitude » que, selon Ovide, nos ancêtres appliquaient spontanément, est un critère économique, technique, pragmatique, méthodologique grâce auquel nos ancêtres dépassaient la chasse et faisaient leurs premiers pas dans l'agriculture. C'est le critère technique qui marque le passage du paléolithique au néolithique (de l'Âge d'Or à l'Âge d'Argent). (Cependant, ce n'est peut-être pas exactement cela qu'Ovide avait à l'esprit. Parce que *rectum*, pour les Romains, fait partie de la trilogie *pulchre, bene, recte* (« beau », « bon », « droit ») et implique, par conséquent, la notion de vérité.) Mais, quoi qu'il en soit, nous pouvons être d'accord avec Ovide sur le fait que le pré observé confirme que l'un des critères du choix de transformer la nature en culture a été celui de l'adéquation aux objectifs économiques visés. La preuve en est que les prés continuent de fonctionner d'un point de vue économique jusqu'à nos jours et que l'agriculteur montagnard qui les habite en vit, et fort bien, comme en vivaient nos ancêtres. Le problème, je le répète, c'est de connaître le sens du second critère, qu'Ovide nomme *fides*.

Mais, si l'on consulte le pré, il nous fournit la réponse. Bien que nous sachions qu'il est le produit de la culture, et bien que nous puissions découvrir dans sa *Gestalt* et dans ses moindres détails la main et l'esprit humains, nous ne pouvons nier qu'il est partie intégrante de la nature. Je vais plus loin : une telle expérience du pré, de son herbe, de ses fleurs, de ses insectes et même des vaches qui y paissent est l'une des plus intenses qui puisse exister dans la nature, et se coucher dans un pré ensoleillé, c'est entrer en communication avec la nature. Un telle expérience ne s'explique pas facilement. Elle ne s'explique pas, par exemple, en disant que le pré dégage une atmosphère de nature intensifiée parce qu'il a été conquis depuis tant de milliers d'années alors qu'un quartier industriel dégage une atmosphère d'anti-nature parce qu'il s'agit d'une conquête récente. Cela n'explique pas l'expérience, car le jardin qui entoure la maison paysanne dans le pré est également ancien, mais il ne nous donne pas une impression de nature. Ce n'est ni son âge, ni sa localisation, ni, non plus, sa faune et sa flore, ni des éléments de même ordre qui font que le pré, parce qu'il est culture, est nature intensifiée. Mais c'est le critère qui a présidé au choix d'en finir avec la forêt et de la remplacer par un pré. À savoir : *fides*.

Dans la mesure où ils sont des hommes, nos ancêtres avaient de la *fides*, c'est-à-dire qu'ils étaient fidèles à eux-mêmes, à leur nature propre et à la nature qui les entourait. Ils l'étaient spontanément, sans dogme ni idéologie (« *sine lege* »). Ils vivaient d'accord avec eux-mêmes et en accord avec le monde dans lequel ils se trouvaient (Âge d'Or). Voici qu'elle était leur forme de religion (*fides*) : être fidèle à ce que je suis et à ce qui m'entoure. Mais une telle fidélité n'est pas, comme nous avons tendance à le penser, « adoration primitive de la nature ». Il ne s'agit pas de se rendre (*super-stitio*) aux forces de la nature. Parce qu'une telle capitulation n'est pas naturelle pour l'homme et, par conséquent, n'est pas fidélité à la nature humaine. Etre fidèle à soi-même, pour l'homme, c'est aller contre la nature, utiliser le critère du *rectum*. La nature n'est pas telle qu'elle doit être, elle doit être rectifiée ; et c'est cela la fidélité à la nature humaine. Par conséquent, « *fidem rectumque* » n'est pas contradictoire mais complémentaire. *Fides* est l'aspect passionnel, patient et passif, *rectum*, l'aspect dramatique, activiste et actif de la vertu humaine par quoi la nature est transformée en culture. Le pré est comme il est (à savoir : nature intensifiée) parce qu'il articule fidélité et nature. En ayant transformé la forêt en pré, nos ancêtres ont provoqué en elle l'essence de la nature et l'ont mise en relief. Ils lui restaient fidèles. Le pré, parce qu'il est culture (et non pas bien qu'il soit culture) est essentiellement nature. Parce qu'il a été produit sous l'égide de la *fides*. Sous l'égide d'une forme intégrée de religion.

Nos ancêtres n'étaient pas des paysagistes. Ils ne visaient pas à intégrer la culture à la nature. Ils ne percevaient pas de contradiction entre la culture et la nature. Non, « *fidem rectumque colebant* » ; c'est-à-dire qu'ils faisaient la synthèse de la foi et de la technologie et, en produisant de la culture, ils révélaient l'essence de la nature. Ils n'étaient pas, comme les paysagistes, aliénés par la nature et à la recherche d'un dépassement de l'aliénation par une action délibérée. Pour eux, la culture était ce qui est naturel pour l'homme et, partant, approprié à la nature tout entière. Et nous pouvons, nous, leurs descendants aliénés, nous imprégner encore un peu de leur intégration caractéristique de l'Âge d'Or en nous étendant sur un pré qu'ils ont créé il y a tant de milliers d'années. Le pré nous permet (comme il permit à Ovide) de saisir également la signification du premier vers de l'épopée : « *Aurea prima sata est aestas, quae vindice nullo* » (« Au commencement fut engendré l'Âge d'Or, et il n'y avait pas de juges »).

Vents

Certaines nuits, le vent assiège ma maison avec une fureur désespérée parce qu'il ne peut la démolir ou pas même y entrer par quelque fenêtre ou porte entrouverte. Pendant de telles nuits, ma maison devient ce château fort résistant aux éléments dont traite en abondance la littérature du passé. Effectivement, je me sens abrité et en paix avec moi-même et avec le monde alors que le vent tente d'ébranler les fondations de la maison. Je sais que le vent ne parviendra pas à entrer et qu'en cela il se distingue des voleurs et de la police secrète. J'ai confiance dans la solidité de la construction de la maison (culture) face à la force énorme, mais aveugle, des éléments de la nature. Mais je ne fais pas confiance à la construction lorsqu'il s'agit de résister à des forces moindres, mais dirigées, comme le sont celles de la culture. Ma maison ne résistera ni à la police, ni aux voleurs ni encore moins aux bombes. Ni même à l'ordre de la démolir donné par la mairie. Mais la différence entre le vent et la police ne peut être celle entre l'action aveugle et l'action planifiée. Pour moi, quoique aveugle, le vent est prévisible par un bulletin météorologique, alors que la police attaque par surprise. C'est que le vent obéit à un ordre aveugle, mais connu du public et qu'il est, par conséquent, contrôlable. La police, les voleurs et les bombes obéissent à des ordres en partie secrets, en partie très mal connus et en partie contradictoires ; ils sont, par conséquent, non contrôlables. Obéissant apparemment à des ordres émanant du public, donnant apparemment des ordres publics et me permettant apparemment de m'adapter à eux et d'agir sur eux, la mairie est en réalité une force contre laquelle toute protection est inefficace. C'est que la force du vent est quantifiable, mais il n'est pas encore possible de dire que la police attaque à tel endroit et à tel moment avec une force huit. Les sciences de la culture n'ont pas encore atteint et n'atteindront peut-être jamais l'exactitude des sciences de la nature. La terreur jadis provoquée par l'ouragan l'est aujourd'hui par la bombe. Mais la terreur de la bombe est profane. La terreur sacrée a été surmontée grâce à la solidité de la construction de la maison.

Cependant, on ne peut nier que quelque chose de la sacralité perdue enveloppe encore le vent. Quand il hurle autour de ma maison, je peux encore éprouver, quoique faiblement (parce que protégé par la maison), le terrible message que son hurlement transmettait autrefois. Selon les mots de Vrchlicky[11] : « *Jeho písen stálá, veliky jest Alá* » (« Son chant constant, Allah est grand »). Peut-être doit-on ce message au fait que le vent est une chose invisible. C'est une chose et je sais cela parfaitement. Il peut être mesuré, pesé et localisé dans l'espace. Mais il est invisible, et cela perturbe notre concept de « réalité » qui est un concept visuel et non auditif. Cela perturbe, par exemple, l'ordre que la syntaxe de nos langues impose à notre esprit. Un tel ordre est clair lorsqu'il s'agit de choses visibles. Dans la proposition « le soleil brille », il ne fait pas de doute que « soleil » est le sujet et « brille », le prédicat. Mais la proposition « le vent hurle » est réversible. « Hurlement » peut être sujet et « vente », prédicat. Le vent est essentiellement un phénomène acoustique (onde sonore). Le soleil, cependant, émet des ondes ; il est le substantif des ondes. Le vent est le verbe même, bien qu'il soit substantif. À la limite, le vent n'accepte pas de prédicat. Dire que le vent hurle est une tautologie.

Il est des choses dans la nature qui sont visibles mais inaudibles. Le soleil, la Lune, les étoiles, les choses célestes, en somme. Des choses « substantives ». Parce qu'elles sont inaudibles, elles sont éloignées et nous ne pouvons pas nous approcher d'elles. Parce que la vue est un sens qui nous sépare des choses et l'ouïe, un sens qui nous immerge

11. Pseudonyme de Frida, Emil, poète tchèque (1853-1912). (N. d. T.)

en elles. Le monde vu est circonstanciel, le monde entendu est un monde partagé. Les choses de la nature qui sont audibles mais invisibles, comme l'ouragan ou la brise, pénètrent nos narines, notre bouche et nos pores. Ce sont des choses « verbales » et non pas « substantives ». Ce sont des voix qui nous appellent. Elles vont en sens inverse de nos propres voix et peuvent être incomparablement plus puissantes (comme le vent qui hurle autour de ma maison). Cependant, ce sont essentiellement des choses du même type que nos propres voix. Puisque ces choses nous pénètrent et puisqu'elles sont essentiellement comme nous, elles sont trop proches pour être « contemplées ». Elles sont non seulement invisibles mais inimaginables. Notre rapport à de telles choses est dialogique et non pas imaginatif. Deux limites de la nature, deux « sacralités » : la limite des choses visibles mais inaudibles et celle des choses audibles mais invisibles. La première est « substantielle » et sacrée parce qu'inapprochable. La seconde est « verbale » et sacrée parce qu'inimaginable. La première peut être appelée « spectrale » si par « spectre » on entend une apparition silencieuse. La seconde peut être appelée « spirituelle » si par « esprit » on entend un souffle inimaginable.

Ces deux « sacralités » sont techniquement dépassées et, dans ce sens, l'humanité a dépassé les limites de la nature. La Lune, une des choses visibles mais inaudibles, fut, comme on dit, « conquise ». Elle était déesse, elle a été transformée en base. Et les vents, depuis longtemps, poussent les moulins et les voiles. D'esprits qui soufflaient comme ils le voulaient, ils sont devenus des forces qui soufflent comme nous le souhaitons. Et les deux « sacralités » sont dépassées au plan théorique par une synthèse productrice de profane. Le « vent » devient « énergie », le soleil devient « matière » et l'un devient l'aspect théoriquement réversible de l'autre. Formellement parlant, nous inventons le langage de la mathématique où il n'y a plus ni substantifs ni verbes mais seulement des relations de fonctions. Et ces fonctions fonctionnent. Sous la forme, par exemple, de la Bombe. Grâce à une synthèse théorique qui fonctionne dans la praxis, nous profanons les deux « sacralités », les « spectres » deviennent des « esprits », les « esprits » deviennent des « spectres » et notre terreur est dorénavant profane.

C'est la terreur des équations et c'est sous l'« équilibre de la terreur » que nous vivons désormais.

Les deux « sacralités » sont dépassées techniquement et théoriquement. Mais non pas du point de vue existentiel. Certaines nuits, lorsque le vent assaille ma maison avec une fureur désespérée, je peux encore entendre la voix de la « sacralité ». En dépit de la solidité de la construction de la maison, et en dépit des informations théoriques dont je dispose. Bien sûr, la solidité et l'information disponible interfèrent avec le message du vent. Mais ils ne peuvent pas le détruire. Elles interfèrent de la manière suivante : mon esprit est le produit de deux traditions contradictoires et jamais synthétisées de manière satisfaisante. De la tradition de la voix et de la tradition de l'image. Du commandement et de l'idée. Du verbe et du substantif. De la décision existentielle et de la métaphysique spéculative. Je ne peux pas simplifier le dilemme en disant que la tradition de l'invisible est la tradition juive et celle de l'inaudible est la tradition grecque. Il s'agit d'un dilemme antérieur aux deux cultures fondatrices de mon esprit. Dans la culture juive, il y a déjà des éléments imaginatifs, bien que les prophètes se soient efforcés de les en expurger. Et dans la culture grecque, il y a déjà des éléments dialogiques, bien que le *logos* tende toujours à être idéalisé. Le dilemme entre « vent » et « chose céleste » ne se situe pas entre « *olam habá* » et « *topos uranikós* » (« le monde que l'on voit » et « le lieu céleste ») ; il s'agit du dilemme bien antérieur entre l'être-au-monde de celui qui entend et de celui qui voit, de celui qui est appelé, puis se décide, et de celui qui arrache le voile et contemple. Un tel dilemme est insurmontable parce que tenir pour l'un des termes de l'alternative, c'est amputer la moitié de l'esprit même. Et cela interfère avec la réception du message du vent qui hurle autour de ma maison.

Mais il ne peut pas la détruire. Parce que le vent hurle, c'est-à-dire, parle. Par conséquent, il n'est pas une chose. Les choses ne parlent pas. Le vent n'est pas un quelque chose ; c'est un quelqu'un à qui je dois répondre, c'est un Tu qui m'appelle pour que je sois un Je. Parce qu'il est un Tu, le vent ne peut être imaginé, conçu et utilisé. Il doit être entendu, reçu, reconnu et suivi. Lorsque le vent est imaginé, conçu, connu et utilisé, comme il l'est dans la technique, et la théorie, il cesse d'être vent pour devenir mouvement de l'air ; il est « objectivé ». Et le vent n'est pas un objet : c'est un autre moi-même. Il n'est pas ; il existe. C'est pourquoi Buber dit : « Dieu n'est pas : je crois en Lui ». Et Angelus Silesius : « *Ich weiß, daß ohne mich Gott nicht ein Nu kann leben* » = « Je sais que sans moi Dieu ne peut vivre un seul instant ». Le vent est vent pour moi si je lui permets d'être vent. Et si je ne le lui permets pas, il sera mouvement de l'air, et non pas vent. Si je ne lui permets pas d'être vent, il sera problème d'aérodynamique déjà partiellement résolu. Mais, si je lui permets d'être vent, il sera énigme. Si je ne lui permets pas d'être vent, il perdra la voix et deviendra vibration aux décibels utilisables. Il sera muet. Mais maintenant, cette nuit où il fait le siège de ma maison avec une fureur désespérée, le vent parle. Parce que je suis disposé à l'écouter. C'est pourquoi, la prière qui dit *Chemá Israel, JHVH elohenu JHVH ekhád* (« écoute, lutteur pour Dieu, JHVH est notre Dieu, JHVH est un ») est une prière et non pas une affirmation indicative. Elle dit : « Écoute ! » Le vent qui assiège ma maison avec une fureur désespérée n'indique rien ; il règne. Si moi je le lui permets. Tel est son message. En dépit de toutes les interférences, je le reçois encore dans des nuits comme celle-ci.

Bien sûr, les interférences font que je ne reçois plus le message sous une forme « orthodoxe ». Ni les juifs, ni les chrétiens, ni les musulmans (ceux qui affirment recevoir le message « orthodoxement ») ne pourront admettre que le message que je reçois est le « véritable ». Ils affirmeront que la voix du vent qui fait le siège de ma maison n'est pas la voix véritable et qu'en permettant au vent de parler, je suis superstitieux. Mais le dialogue avec de tels orthodoxes est, pour moi, difficile. Je suis incapable d'écouter les voix qu'ils affirment entendre (les « véritables ») et je dois admettre que je doute non pas tant du fait qu'ils les entendent, mais de la véracité de telles voix. Parce que je doute que l'on puisse éliminer les interférences théoriques et techniques au point de permettre à ces voix de parler. Je soupçonne, par conséquent, que les orthodoxes qui s'en prennent violemment aux interférences afin de pouvoir entendre n'entendent que des choses fausses. Mais je n'insiste pas trop sur une telle méfiance, un tel doute et un tel soupçon de ma part. Je suis disposé à admettre, avec une pointe d'envie, l'hypothèse qu'ils entendent ce que je n'entends pas. Quant à moi, je dois me contenter de l'énigme que j'entends dans le vent qui hurle autour de ma maison. Qui sait s'il s'agit de la même énigme pour eux et pour moi ? Qui doit, mais qui ne peut être déchiffrée ?

Le vent hurle, cette nuit, autour de ma maison. Je me sens abrité, parce que je sais que, contrairement aux forces néfastes de la culture, il ne peut pas pénétrer dans la maison. Et, simultanément, je fais en sorte de permettre, en dépit de cela, que le vent me parle. Qu'il me pénètre sans me pénétrer. C'est la dialectique entre la connaissance qui se ferme en objectivant et la reconnaissance qui s'ouvre en permettant à l'autre d'être. Situation insupportable parce que minant aussi bien la connaissance que la reconnaissance. Situation caractéristique de la fin d'un jeu ou du début d'un nouveau jeu. Perte de la connaissance de la foi et de la foi dans la connaissance. Situation dans laquelle le visible devient invisible et l'audible, inaudible. Situation qui est la nôtre, en dépit de tout le discours relatif à l'« audiovisualité ». Il faut que le vent hurle furieusement pour que je puisse encore l'entendre un peu et calmement. Mais je sais que le vent qui fait le siège de ma maison est, objectivement parlant, le mouvement d'un gaz et je sais que, objectivement parlant, le mot « gaz » a la même étymologie que le mot « chaos ». De sorte que je sais que ce qui assiège ma maison n'a pas de fondement bien que je sache que c'est météorologiquement prévisible et que cela obéit à des règles aveugles. Un tel savoir du manque de fondement sous les règles qui ordonnent la nature est un savoir qui est déjà une quasi reconnaissance. C'est une manière de perdre la foi dans le savoir par la connaissance même. Il ne s'agit pas, bien sûr, d'une conquête de la « foi », dans le sens que les orthodoxes donnent au terme. Mais cela ne laisse pas d'être une ouverture. Parce que le « chaos » dont le vent me parle n'est pas le hasard d'un mouvement brownien dans le gaz autour de ma maison. C'est le « chaos » hurlant. Et voici l'interprétation que je donne au message du hurlement : *and this is all the wisdom I can reap : I came like water, and like wind I go.*

Merveilles

Je sais que l'une des « preuves » traditionnelles de l'existence de Dieu est que la nature manifeste un projet déterminé, c'est-à-dire une délibération créatrice. Je ne me souviens pas quand j'ai été exposé à un tel argument pour la première fois. Mais je ne doute pas que cela se passa au cours d'une promenade et que ce fut ma nourrice qui initia mon tendre esprit à la métaphysique et à la théologie en me montrant une fleur merveilleuse ou la merveilleuse couleur d'un oiseau. Ce fut certainement ma nourrice, et non pas ma mère, parce que les nourrices, davantage que les mères, ont une tendance au romantisme. Et je ne me souviens ni du nombre de fois ni sous quelles formes le même argument en faveur d'un Dieu créateur du monde me fut répété. De nombreuses fois, certainement, et sous des formes toujours plus complexes. Mais je me souviens, en revanche, et nettement, de la première fois où j'éprouvai la fausseté d'une telle « preuve ». Je devais avoir autour de huit ans et mon oncle m'avait emmené à la pêche. Il me montra comment enfiler les vers sur le hameçon et la praxis du vers dans ma main fit en sorte que l'idéologie du Dieu créateur du monde merveilleux me quitta définitivement. L'expérience dut être forte, mélange de dégoût, de compassion et de sentiment de culpabilité ; mais ce qui dut l'emporter fut la découverte de la brutalité stupide d'un supposé créateur de vers, de poissons et de pêcheurs. Il est difficile d'analyser rétrospectivement ce qui s'est passé alors dans mon esprit d'enfant, mais je me souviens parfaitement que je cessai de croire en un Dieu-créateur par piété envers Dieu. Comme si j'avais saisi de manière intuitive que l'hypothèse d'un Dieu-créateur du monde est contraire à toute foi en un Dieu d'amour et d'espérance. Intuitivement, je dus comprendre que le Dieu responsable de la mort du vers excluait le Dieu auquel chaque soir je recommandais « tous les adultes et tous les enfants ». Il est clair que je falsifie l'expérience enfantine en disant que « je me prononçai contre le Dieu des philosophes pour pouvoir conserver le Dieu existentiel », mais ce sont là des mots qui me viennent lorsque je tente d'expliquer ce qui j'éprouvai alors.

Je ne sais pas jusqu'à quel point l'expérience relatée est caractéristique, mais elle doit l'être considérablement car à huit ans on ne peut faire preuve de beaucoup d'originalité. S'il est donc caractéristique de l'âge de huit ans de récuser la « preuve » de l'existence de Dieu par l'observation de la nature, plusieurs questions surgissent. Ces questions peuvent être rangées en trois groupes : a) questions sociologiques, b) théologiques et c) épistémologiques. Les questions sociologiques ont trait au comment, au pourquoi et à la date d'apparition de l'hypothèse du Dieu-créateur ; et aussi au comment cette dernière parvient à résister aux critiques des plus de huit ans et au comment de telles critiques peuvent être formulées en dépit de la pression idéologique formidable qui s'exerce sur les enfants de huit ans. Les questions théologiques portent sur la manière dont la foi parvient à résister au poids mort du dogme d'un Dieu-créateur, sur la manière dont ce dogme peut être absorbé par une religiosité « dialogique » et sur la raison de son nécessaire maintien en dépit de difficultés morales, scientifiques et philosophiques insurmontables. Mais ce sont les questions épistémologiques qui importent en ce moment où je suis assis sur ma terrasse ensoleillée en train de contempler les merveilles de la nature. Parce que c'est la contemplation de telles merveilles qui a motivé le souvenir de la « preuve » de Dieu créateur de la nature.

La scène que je suis en train de contempler (paysage hivernal qui s'éveille, hésitant, sous les rayons provocants d'un soleil quasi printanier) est recouverte de plusieurs strates « explicatives » et « interprétatives » de ma culture : de mes préjugés. La contempler, cela signifie exactement tenter de retirer, ou de percer, ou de rendre transparentes de telles strates qui la recouvrent afin de la voir sans intermédiaire. Tâche désespérante parce que les médiations culturelles qui s'interposent entre moi et la scène constituent ma manière d'être sur la scène. La communication immédiate, l'« union mystique », visée par la contemplation est un objectif que l'on ne peut espérer atteindre car elle constitue elle-même un préjugé imposé par ma culture. Il existe des méthodes, des techniques, des exercices, des pratiques du yoga, des « réductions phénoménologiques » etc., qui affirment pouvoir provoquer une telle communication immédiate ; à elle seule, une telle technicité autorise à se méfier de cette dernière. Il paraît contradictoire, en effet, de vouloir obtenir un contact immédiat au moyen de quelque chose. De vouloir décider de la spontanéité. Dans tout mysticisme, il y a une saveur empirique et pragmatique qui le rend amer. Cependant, contempler, au sens de tenter de cesser d'expliquer et d'interpréter, n'est pas une entreprise nécessairement vouée à l'échec ; quoique ne menant pas à la communication immédiate avec la chose contemplée, elle peut bousculer les préjugés. La contemplation peut être une critique non discursive des discours explicatifs et interprétatifs.

Les strates qui couvrent la scène que je contemple sont des projections de mon esprit, lequel, à son tour, est un système programmé par l'histoire de ma culture. De fait, une méthode efficace pour prendre conscience de ma programmation consiste à critiquer les strates couvrant la scène. Je me reconnais dans les strates couvrantes ; davantage : *je suis* de telles strates, *je suis* cette couverture particulière de la scène. En essayant de les écarter, je m'efforce, en effet, de me retirer moi-même de la scène pour lui permettre d'être elle-même. Et, en tentant de me retirer, j'éprouve ce que je suis : un système historiquement programmé pour saisir la scène. Telle est la première étape de la contemplation : vérifier que l'observation de la nature est une critique de l'histoire de la culture.

Je peux distinguer très nettement dans les strates couvrantes les trois types bien connus : esthétiques, éthiques et explicatifs. Avec le premier type, j'éprouve la scène contemplée à la manière hyper-réaliste, expressionniste et impressionniste, naturaliste et romantique et ainsi de suite. Mon expérience concrète de la scène contemplée « répète la phylogenèse de l'art ». Non pas, bien sûr, « correctement ». Je tombe dans l'anachronisme. Et je ne suis pas dans mon époque. En ce moment, par exemple, je vis la scène « à la manière classique » ; et c'est là pour moi le premier motif d'émerveillement : pour quelle raison la scène contemplée « ressemble »-t-elle à des scènes du dix-septième siècle ?

Avec les strates éthiques, la scène m'incite à m'engager pour ou contre elle. Découvrir l'organisation de telles strates n'est pas aussi facile que pour les strates esthétiques, peut-être parce que l'histoire de la « raison pratique » est contradictoire et pleine de reculs. Mais je peux, en revanche, distinguer trois formes fondamentales, trois « modèles de comportement ». La scène contemplée n'est pas comme elle devrait être, et je dois la changer. Soit la scène contemplée m'invite à me consacrer à elle, soit elle reste confinée dans un décor de théâtre où je joue un rôle. Sans doute, le fait que je me souvienne du vers de terre indique que j'adoptai, alors, le premier modèle de comportement. Je trouve cruelle et révoltante la scène à laquelle j'assiste, je tremble d'une juste colère et j'aimerais *remould it nearer to the heart's desire*. Mais je sais, en même temps qu'une telle attitude révolutionnaire fait partie de mon programme. Et c'est le deuxième motif de mon émerveillement : pourquoi la scène m'invite-t-elle aujourd'hui au combat alors qu'elle m'invitait hier, identique, à la paix d'un plaisir reçu ?

Le souvenir de mes vers de terre pendant la contemplation de la scène, déclenche essentiellement la critique des strates explicatives. Le fait est que, bien qu'elles paraissent se dépasser l'une l'autre, ces strates ne se détruisent pas. C'est là mon troisième et plus grand motif d'émerveillement. Sans doute, les strates explicatives sont-elles « progressives » et la plus récente explique-t-elle « mieux » que les plus anciennes. « Mieux », parce qu'elle synthétise de manière dialectique les plus anciennes. En cela, les structures explicatives se distinguent structurellement des deux autres types. Cela n'a pas de sens de dire que la strate hyper-réaliste permet de « mieux » faire l'expérience de la scène que la strate classique, ni que le modèle de comportement révolutionnaire permet d'agir « mieux » sur la scène que le modèle neutralisant. En revanche, cela a du sens de dire que l'explication offerte par Jacques Monod de l'origine de la vie que je contemple dans la scène est « meilleure » que l'explication fournie par Darwin, et bien « meilleure » que celle offerte par la thèse selon laquelle « Dieu est le créateur de la vie ». S'il en est ainsi, pourquoi de telles strates dépassées ne disparaissent-elles donc pas ? Parce qu'elles continuent à recouvrir la scène ? Telle est, en effet, la question que le souvenir du ver de terre a suscitée : pourquoi, puisque je sais expliquer la vie autour de moi bien mieux, pourquoi l'explication « Dieu » continue-t-elle de perturber ma vision de la scène ?

Je crois avoir la réponse à une telle question, mais elle ne me plaît pas. L'explication de l'origine de la vie donnée par Jacques Monod est, à l'évidence, « formelle » : un jeu. Lui-même parle de « jeu de l'évolution du RNA » et en indique les trois règles : celle de la contrainte stérique, celle de la complémentarité et celle de la coopération. Selon ces règles, la vie devient explicable en tant que processus « nécessaire », en ce sens curieux que le hasard est nécessaire. Et elle devient non seulement explicable, mais, en théorie, reproductible. Celui qui connaît le jeu, peut créer la vie et faire en sorte qu'elle évolue. En théorie. Car c'est cela qui caractérise la progression des strates explicatives. Les plus récentes sont plus formelles, davantage de type « jeu » que les précédentes et pour cela, « meilleures ». Les précédentes sont « pires », parce que dire que Dieu a créé la vie n'explique rien, n'indique pas les règles du jeu. Et c'est pourquoi les strates antérieures ne peuvent être retirées. Parce qu'elles ne donnent pas les règles, elles couvrent mieux la scène. Parce qu'elles n'expliquent pas « bien », elles fonctionnent mieux en tant que strates couvrantes. Et parce qu'elles couvrent mieux, elles rendent la scène visible. Dans l'explication de type Monod, la scène devient quasi invisible : je ne vois plus la vie, je vois le jeu vide. Pour voir, j'ai besoin d'une grosse médiation, par exemple, de Dieu. Si je « démaigris » Dieu, je ne vois plus la scène.

Je n'apprécie pas cela du tout. J'aurais, par conséquent, besoin d'un Dieu créateur du monde pour avoir la possibilité de voir le monde, alors que je sais que Dieu en est une très mauvaise explication ? Alors que je sais que si j'accepte un Dieu-créateur, je ne peux l'aimer ? J'aurais besoin de Dieu pour que le monde ne s'évapore pas en formes vides et transparentes bien que je sache que le monde « non évaporé » est un cadre apparent qui consiste en vers de terre embrochés ? Davantage : je ne nécessiterais pas et je n'exigerais pas un tel Dieu, mais je ne peux me délivrer de lui ? Je n'aime pas cela et ce non-plaisir est la merveille de toutes les merveilles. Le monde est merveilleux parce que si je le « découvre », il disparaît, et si je le laisse couvert, il devient horrible. Et, finalement, parce que les deux termes de l'alternative ne constituent pas de véritables options, je suis obligé aux deux. Aussi bien au formalisme qu'au *wormlike feeling*. Je suis autant obligé de « démaigrir Dieu » que de croire au Créateur en dépit de toutes les explications progressives dont je dispose.

Je sais parfaitement que la nature, à l'analyse, ne révèle aucun dessein divin, mais un jeu aveugle entre le hasard et la nécessité. Et je sens que, si je me décidais à voir un dessein dans la nature, celui-ci serait diabolique et non divin. Et en même temps, je sais que si je me délivrais du Démiurge (chose que je ne puis faire), la nature disparaîtrait devant mes yeux. Cette totale confusion épistémologique, éthique et esthétique est ma manière d'envisager la nature et ma manière de tenter de dépasser l'abîme qui me sépare d'elle. Cela n'est-il pas merveilleux ? Oui, la nature est merveilleuse : elle consiste en vers de terre embrochés dans lesquels j'admire un Créateur dont je sais qu'il n'est autre que la projection d'une dialectique bornée du hasard et de la nécessité.

Bourgeons

Les branches des pommiers sous ma terrasse ont changé depuis hier. Lorsque je les ai vues pour la dernière fois, elles ressemblaient à des éléments d'une structure vide et étaient, comme il sied à des éléments de structure, grises, nues et nettes. Hier, en effet, le jardin qui entoure ma maison offrait un aspect « structurel » et « formel » au sens radical de ces termes. Il formait un ensemble composé de structures de type « arbre », c'est-à-dire de formes ramifiées. Évidemment, ces « arbres » constituaient des structures complexes. Les branches se détachaient du tronc à des endroits géométriquement déterminables pour se diviser ensuite plusieurs fois de manière hiérarchisée. On voyait également un élément perturbateur de l'ordre. Les branches se tordaient, paraissaient se couper en plusieurs endroits et certaines étaient plus grosses que d'autres. Mais cela ne les empêchait pas de servir de modèles de structure. Au contraire, c'est parce que ces structures étaient complexes que l'on pouvait leur donner plus facilement un contenu. À la vue des pommiers, je projetais sur eux différents contenus. Par exemple : ce pommier-ci « illustrait » la structure de l'évolution de la vie, cet autre, celle de la généalogie des langues flexionnelles et ce troisième, celle des sciences de la nature. Cette branche-ci « représentait » la branche des vertébrés, cette autre, celle des langues latines et cette troisième, celle de la chimie inorganique. Hier, l'aspect de mon jardin permettait un jeu d'imagination très divertissant. Ce pommier-ci ne pouvait convenir pour Darwin parce que ses branches tendaient à former une cime horizontale, mais fort bien pour la généalogie de la maison de Habsbourg. Cet autre était indiqué pour la généalogie des langues parce que plusieurs branches s'entrecroisaient pour se séparer ensuite, et parce que le tronc était composé de plusieurs branches maîtresses.

L'imagination ne peut plus se livrer à un tel jeu. La raison en est qu'il a plu pendant la nuit, et qu'aujourd'hui, en ouvrant la fenêtre, j'ai vu que les branches du pommier avaient changé. Elles sont couvertes de bourgeons dont je sais (bien que je ne les voie pas encore) qu'ils seront des fleurs blanches et roses. Pour le moment, ce sont des bourgeons modestes, de légères altérations, à peine visibles, de la surface lisse des branches. Une sorte de maladie de la peau des pommiers. Mais je sais qu'une telle maladie est un symptôme de santé. Les pommiers se sont réveillés durant la nuit pour suivre leur destin. Le « virtuel » en eux (la fleur) est apparu, a fait surface. Le « virtuel » s'est accru, durant la nuit, du « nécessaire », pour devenir, ce matin, « réalité ». Le miracle de la transfiguration s'est opéré dans les pommiers durant la nuit. Le saut ontologique du simplement possible à l'effectivement réel s'est produit. Le futur est devenu présent. Hier, la fleur était dans le futur des pommiers, aujourd'hui, elle est présente. Pour les pommiers, la trompette a sonné durant la nuit : ils sont tous changés. Une telle révolution ontologique ne me permet plus de les considérer comme des structures. Dorénavant, je suis obligé de les considérer comme tendant vers un destin. Des tendances en direction de la fleur et du fruit. Ce n'est pas que leur aspect structurel ait été éliminé. Mais il est *aufgehoben*. Maintenant, les structures sont porteuses d'un processus. Un processus qui vise un but déterminé. Désormais, ce sont des pommes et non plus la maison de Habsbourg ou la généalogie des langues qui sont le « contenu » de la forme des pommiers. Un tel miracle (parce que tout saut ontologique, toute révolution est un miracle) s'appelle « printemps ». Et peu importe qu'il se répète chaque année. Peu importe que dans le *kuklos tès geneseôs*, il s'agisse de cycle. Ce qui importe, c'est qu'il s'agit de génération, du surgissement de quelque chose de nouveau. La forme de la génération, du processus révolutionnaire, se superpose à la forme du cycle, de la répétition, et c'est cela le miracle. L'éternel retour comme volonté de puissance, le bourgeon de chaque mois de mars comme révolution, Nietzsche et Marx frères jumeaux, c'est ainsi que je suis obligé de « lire » mes pommiers.

Lorsque je regarde mon jardin, par conséquent, ce n'est plus une vision structurelle que j'ai, mais une vision tragique : je vois le destin. C'est pourquoi j'ai dit que je suis obligé de « lire » les pommiers. Il est écrit (*mektub*) en eux qu'ils donneront fleur et fruit. Tels ils devront être, ils ne pourront pas échapper à eux-mêmes. « *So mußt du sein, dir kannst du nicht entfliehen* » (*Urworte. Orphisch*, Goethe). Je ne vois plus de structures, je vois Œdipe dans mon jardin. Lorsque je regarde les bourgeons, je comprends pourquoi en voulant fuir de manière tragique son destin Œdipe l'accomplissait en réalité. Tuer le père, coucher avec la mère et se crever les yeux est aussi fatal pour Œdipe que l'est pour les pommiers le fait de se couvrir de bourgeons, de donner fleur et fruit, de perdre leurs feuilles et de cristalliser en structure. Pour Œdipe, vouloir ne pas tuer son père, c'est comme, pour les pommiers, vouloir ne pas donner de fleurs. S'il n'avait pas tué son père, il n'aurait pas été Œdipe ; s'ils n'avaient pas bourgeonné, ils n'auraient pas été des pommiers. Mais il existe une différence entre Œdipe et mes pommiers. L'*hubris*, l'héroïsme condamnable et condamné, est impossible aux pommiers. Ils sont tragiques sans le savoir. Ce sont des Œdipe inconscients. Cette tragédie l'est pour moi, non pour eux. Mais qui sait si Schopenhaueur n'avait pas raison, et si la tragédie n'est pas l'océan commun d'où les pommiers et moi sommes issus, la volonté tragique que les pommiers d'un côté et moi de l'autre représentons en ce printemps ?

Mais, comment cela est-il possible ? Comment les bourgeons peuvent-ils m'imposer une vision tragique du monde ? Le terme même de « destinée » résonne étrangement à mes oreilles. Il n'est pas adapté, d'aucune façon, à mon expérience du temps. Je ne pense pas « de manière finaliste », mais « de manière causale » ou « de manière structurale ». Le monde n'est pas, pour moi, une tragédie, mais le théâtre de l'absurde. Le futur, pour moi, n'est pas le but fatalement « prédéterminé », mais un horizon ouvert de virtualités réalisables. Pour moi, parcourir le chemin n'est pas voyager à la recherche d'une destination (« destinée »), mais voyager aventureusement, sans but (« sens »). Pour moi, « futuration » n'est pas découverte de la fin (de la « finalité »), mais prospection du possible (de la « liberté »). Vivre, pour moi, n'est pas trouver mon sens, mais donner du sens. Le sentiment tragique de la vie et du monde (le fatalisme) ne m'est pas étranger, mais c'est un sentiment enfoui. Ce qui domine, chez moi, c'est l'expérience de l'absurde. Pour moi, la « nécessité » n'est pas la fin, mais la cause. Pour moi, la nature n'est pas le livre que je dois lire pour pouvoir vivre « correctement ». Je ne suis ni orphique, ni mahométan. Pour moi, la nature est un ensemble sans signification, qui n'acquiert de sens que lorsque moi et mes semblables le transforment en culture. Pour moi, c'est cela qui distingue la nature de la culture : la culture est le texte lisible (monde codifié) écrit sur fond naturel sans signification (*wertfrei* = exempt de valeurs). Dans ces conditions, de quelle manière les bourgeons peuvent-ils ébranler les catégories que ma culture antitragique et antifataliste m'impose ?

Le problème peut être facilement tourné si je recours à la logique formelle, mais il ne sera pas résolu pour autant. Je peux dire que, formellement, il existe trois types d'« explications » : a) les finalistes qui font appel au « pour », b) les causales qui font appel au « à cause de » et c) les structurelles qui font appel au « de cette manière ». Par exemple : a) les oiseaux font des nids *pour* y mettre leurs œufs ; b) les oiseaux font des nids *à cause* de leur instinct, et c) les oiseaux font des nids *en forme* de cônes. L'explication de type a) est la plus satisfaisante parce qu'elle confère du sens à ce qui est expliqué. Celle de type c) est la moins satisfaisante parce qu'elle n'explique que formellement. L'histoire de la pensée est donc l'histoire des explications qui deviennent de moins en moins satisfaisantes au fil du temps. Mais une telle érosion de la satisfaction (et du sens) ne va pas au même rythme dans tous les champs. Dire qu'« il pleut pour mouiller la terre » est une explication actuellement inacceptable. Mais dire que « les animaux ont des yeux pour voir » ne choque pas autant. En effet, la biologie est moins formelle que la physique parce que, appliquées aux phénomènes dont elle traite, les explications finalistes sont moins choquantes. Les bourgeons m'imposent le sentiment tragique du monde parce qu'il s'agit de phénomènes biologiques, pour lesquels les explications finalistes sont moins choquantes. Mais je peux me libérer facilement d'un tel sentiment tragique si je me souviens qu'on dispose à l'heure actuelle d'explications causales et formelles pour les bourgeons, qui rendent le sentiment tragique anachronique, primitif et « dépassé ».

Ainsi, le problème a été tourné, mais en aucune façon résolu. Parce que la solution a introduit le concept de « satisfaction » qu'elle n'a pas élaboré. C'est justement de satisfaction qu'il s'agit. Quand je regarde les bourgeons qui sont apparus sur mes pommiers, les explications causales et formelles ne me satisfont pas. Et la satisfaction est l'unique critère existentiel de la vérité. C'est ce que Heidegger énonce : *das stimmt* = « c'est en accord ». La *Stimmung* = l'« atmosphère » des bourgeons et du printemps, c'est le sentiment tragique du monde[12]. De telle sorte que, dans ce cas, les « explications » finalistes et le futur comme destin sont « véritables ». Expliquer les bourgeons et le printemps de manière causale ou structurelle c'est *explain them away*, les des-expliquer. Et la question est exactement celle-ci : pourquoi les bourgeons et le printemps m'imposent-ils ce sentiment tragique et évoquent-ils le futur comme destin, en dépit de toutes les autres explications qui en arrivent à être insatisfaisantes et, par conséquent, n'expliquent rien ?

Je ne suis ni adepte de l'orphisme, ni mahométan et, pour moi, la nature n'est ni un ensemble de symboles, ni un livre écrit par Allah. Je ne crois pas qu'il soit possible de « déchiffrer » la nature et de découvrir ainsi sa « signification profonde » ni qu'Allah, dans son amour pour l'humanité, ait dicté un second livre, le *Koran*, à

12. Étant donné la polysémie du concept, le lecteur se reportera à l'article « Stimmung » du *Vocabulaire européen des philosophies. Dictionnaires des intraduisibles*, publié sous la direction de Barbara Cassin (Paris, Seuil – Le Robert, 2004. (N. d. T.)

son prophète, qui permette la lecture du premier livre, celui de la nature. Je suis convaincu que la nature est un ensemble sans signification ni finalité, et que la dignité humaine consiste à donner une signification humaine à la nature et à lui imposer des fins humaines. Je suis, en effet, convaincu qu'humaniser la nature, c'est la réaliser et que, si elle n'est pas humanisée, la nature n'est que pure virtualité humaine. Par exemple : je suis convaincu que les bourgeons que je contemple en ce moment n'ont rien de tragique, mais qu'ils visent à produire des pommes qui seront transformées en jus qui fait la renommée de Merano. Que les pommiers sont là parce qu'ils ont été plantés par des jardiniers. Ils font partie non pas de la nature, mais de la culture. Ils ont une fin et un sens : la finalité et le sens qui leur ont été imposés par les jardiniers et, cependant, les bourgeons, là, dans mon jardin, parlent leur langue propre, infalsifiable. Ils parlent la langue de la transfiguration, finalité trans-humaine et tragique, et ils parlent la langue de la destinée. Et ce qu'ils disent est vrai. Bien qu'ils soient culture, ils continuent à être nature dans le sens miraculeux et mystérieux de ce terme.

De telle manière que je ne sais pas répondre à la question. Je suis victime de deux formes d'honnêteté ou de malhonnêteté. Il est malhonnête de nier que mon jardin obéit à des fins humaines, qu'il est une réalisation de la belle volonté humaine qui s'impose à la pure virtualité naturelle en lui conférant ainsi valeur et sens. Et il est malhonnête de nier que mon jardin donne une signification à la vie des jardiniers, une signification qu'eux-mêmes « ont choisie » (bien que de manière problématique). Mais il est également malhonnête de nier que les bourgeons apparus la nuit dernière mobilisent des forces fondamentales et que la sève qui circule dans les branches des pommiers circule aussi, de manière tragique, dans mes veines et nous entraîne, les pommiers et moi, vers un destin inexorable. Je ne sais pas apporter de réponse à la question, si ce n'est, peut-être, celle-ci : l'*hubris œdipiana*, l'héroïsme tragique qui est la dignité humaine, est de faire des jardins et des jus de pomme, comme un défi désespéré à la sève tragique et mystérieuse qui fait irruption à certains moments catastrophiques tel celui des bourgeons du printemps.

Brouillard

Depuis quelques jours, le bulletin météorologique diffusé à la radio à dix heures du soir commence par la même formule : « Après dissipation de brouillards matinaux persistants... » De fait, ces derniers temps, je me réveille chaque matin avec cette lumière laiteuse d'un soleil qui n'arrive pas à déchirer les voiles qui le recouvrent. Malheureusement, il s'agit d'une situation dont la littérature et les lieux communs sont tellement remplis que j'éprouve une grande difficulté à en faire l'expérience concrète. Le brouillard matinal est « recouvert d'un épais brouillard idéologique » qui doit être balayé pour que je puisse voir le brouillard non métaphorique au dehors. Cet effort de balayage va montrer que l'on peut diviser l'humanité en deux catégories : les gens qui aiment et les gens qui n'aiment pas la lumière diffuse. Les « fans » d'histoires fantastiques et les adeptes des mots croisés. Les sentimentaux et les partisans des Lumières. Les inspirés et les méfiants. Les gens qui s'intéressent au fond général et universel sur lequel les choses se détachent vaguement et ceux qui s'intéressent aux différences par quoi les choses se distinguent. En somme, les métaphysiciens et les phénoménologues. La première catégorie essaie de pénétrer le brouillard, la seconde tente de le chasser. Parce que la première l'affirme et la seconde le nie. Ce sont, je crois, deux attitudes fondamentalement opposées entre lesquelles s'élève la grande ligne de partage des eaux de l'humanité. Mais il s'agit d'attitudes et non pas de situations différentes. Tous les hommes, parce qu'ils sont hommes, sont dans le brouillard, qu'ils le veuillent ou non.

Eh bien, moi, je ne veux pas y rester ! Même si, je dois le confesser, l'attitude des « fans » du brouillard ne m'est pas étrangère et si je suis souvent victime de la séduction exercée par le « mystère », j'ai opté pour l'attitude soupçonneuse. Chasser les brouillards et tenter de montrer qu'il s'agit de brouillards et de rien d'autre, me paraît être la seule attitude digne. J'ai opté contre la profondeur, pour la superficialité. Parce que je crois que rien de profond ne se cache derrière le brouillard, mais qu'il est une illusion recouvrant la surface concrète derrière laquelle rien ne se cache. Ce n'est pas, comme il semble, un jeu de mots. À l'inverse des penseurs profonds, je ne crois pas que le but ultime soit d'atteindre le fond du brouillard, mais que c'est une fois le brouillard déchiré que commence la tâche véritable : tenter d'appréhender et de comprendre la surface découverte. La pensée profonde me paraît être plus superficielle que la pensée qui tente de capter la surface des choses. Je crois que la profondeur germanique de la première moitié du siècle, par exemple, est plus superficielle que la superficialité anglo-saxonne de la même époque. Je suis avec Goethe lorsqu'il dit : « *Man suche nichts hinter den Phänomenen. Sie selbst sind die Lehre.* » (« On ne cherche rien derrière les phénomènes. Ils sont eux-mêmes l'enseignement. ») C'est pourquoi je tâcherai de chasser le brouillard métaphorique qui recouvre le brouillard matinal pour tenter de voir ce dernier dans sa concrétude.

J'habite une maison devant laquelle, de la terrasse, se déploie un vaste panorama. Une large vallée entourée de plusieurs rangées de pics couverts de glaciers. La vue progresse depuis les montagnes les plus proches jusqu'aux sommets majestueux à l'horizon. Mais pas aujourd'hui. Aujourd'hui, je ne vois que le jardin qui entoure ma maison et je devine, vaguement, les silhouettes des pins qui entourent le jardin. Aujourd'hui, mon horizon est restreint. Mais en disant cela, deux doutes m'assaillent. Le premier s'énonce : si je n'avais pas vu le panorama hier, je ne saurais pas aujourd'hui que mon horizon est restreint. Le second doute s'énonce : tous les horizons sont larges parce que ce sont des horizons, c'est-à-dire des limites du fini conduisant à l'infini. Le premier doute implique que le brouillard n'est une limitation que pour qui sait qu'il s'agit de brouillard. Le second implique que vouloir élargir les horizons en chassant les brouillards est une tâche absurde. Les deux doutes doivent être considérés sous l'angle du brouillard concret qui entoure ma maison et le second avant le premier.

Voici une anecdote sur la conquête de Syracuse par les Romains. Un centurion s'introduisit chez Archimède pour l'inviter à être ingénieur dans les légions romaines. Archimède refusa en affirmant qu'il n'avait pas le temps. Les problèmes du cercle l'absorbaient. Le centurion s'étonna d'une si grande aliénation : comment peut-on se préoccuper de cercles quand l'Empire est en train de conquérir l'*Orbis terrarum* ? « Justement », répondit Archimède, « je prétends démontrer qu'il ne sert à rien d'augmenter la circonférence des cercles parce que le rapport entre la circonférence et le rayon est constant. » Face à une aliénation aussi subversive, le centurion ne pouvait que tuer Archimède. L'anecdote ne peut être assimilée à une parabole sur le conflit entre engagement dans l'histoire et engagement dans les formes. Parce que le véritable problème que pose l'anecdote est le suivant : si le progrès, considéré d'un point de vue formel, n'a pas de sens, si élargir les horizons, c'est rester arrêté sur la même forme, quel sens y a-t-il à étudier les formes ? En d'autres termes, si les cercles d'Archimède rendaient absurdes les machines de guerre romaines (même si de telles machines étaient fondées sur ces derniers), que faisait Archimède ? De la théorie pure ? Dépasser la politique par la contemplation des formes ? Oui, mais en contemplant les formes, Archimède n'était-il donc pas, lui aussi, en train d'élargir les horizons ? C'est-à-dire, ne restait-il pas arrêté sur la même forme ? Le problème soulevé par l'anecdote est le suivant : l'argument d'Archimède contre le centurion peut être retourné contre

Archimède lui-même. Non pas : le centurion est progressiste et Archimède, un réactionnaire aliéné. Ce serait l'argument du centurion romain. Mais plutôt : Archimède est aussi progressiste, par conséquent, absurde, que le centurion romain. Tous deux avancent en dissipant les brouillards. Seulement, les brouillards sont différents. Si l'argument d'Archimède était correct, la théorie serait aussi absurde que la praxis et il ne resterait plus, aujourd'hui à Syracuse, que cynisme et stoïcisme.

La position cynique face au brouillard qui entoure ma maison est la suivante : l'horizon que je vois aujourd'hui est aussi bon que celui que j'ai vu hier. L'horizon du paysan du Nordeste est aussi bon que celui d'un étudiant de Harvard. Et la position stoïcienne face au brouillard qui entoure ma maison est la suivante : si j'acceptais l'horizon d'aujourd'hui comme j'ai accepté celui d'hier, je me satisferais des deux. Le paysan sera heureux non pas s'il parvient à élargir son horizon, mais s'il parvient à s'en contenter. Les positions cynique et stoïcienne sont logiques et, d'un point de vue existentiel, indestructibles, aujourd'hui comme à Syracuse ; dans ce sens, l'argument d'Archimède contre le centurion et contre lui-même reste parfait. Les deux positions sont un véritable dépassement de la politique non pas par la théorie, mais par la négation des valeurs. Mais ce sont des positions insoutenables du point de vue éthique aujourd'hui comme à Syracuse et le brouillard autour de ma maison en donne la preuve. Il me suffit de quitter ma terrasse et de marcher en direction des pins que j'aperçois à l'horizon. L'horizon cédera devant mes pas. Hier, lorsqu'il n'y avait pas de brouillard, l'horizon n'aurait pas cédé. Du point de vue éthique (pratiquement), l'horizon couvert est déplaçable parce qu'il cède. L'horizon de la vision par temps dégagé ne cède pas. Ce sont deux horizons différents. Le premier est l'indice d'une situation indigne car il me limite dans la mesure où je le lui permets. Le deuxième est l'indice d'une situation digne parce que je ne peux pas le dépasser. C'est pourquoi je dois m'engager en faveur d'horizons dégagés et contre ceux qui sont couverts. Parce que dès que j'aurai dégagé les horizons couverts, je verrai les véritables limites qui me sont imposées. Vouloir chasser les brouillards n'est donc pas, d'un point de vue éthique, une tâche absurde. Parce que cela ne vise pas « l'élargissement des horizons » (cela, en revanche, serait absurde), mais la découverte des véritables horizons non élargissables. « Désidéologiser » n'est pas libérer (cela, en revanche, serait absurde), mais permettre aux conditions véritables d'apparaître.

L'autre doute que suscite mon brouillard – il soutient que le brouillard n'est tel que pour celui qui sait déjà qu'il s'agit de brouillard – ne peut être mis en question de manière pragmatique comme celui qui vient d'être considéré. Parce que le doute soutient que celui qui ne demeure pas dans ma maison et, par conséquent, ne connaît pas le panorama d'hier, n'a pas de raison de marcher en direction des pins. C'est, pour ainsi dire, un cynique et un stoïque spontané et non pas délibéré. Il accepte la limitation du brouillard, il est satisfait et s'adapte, parce qu'il le considère comme véritable. Le doute soutient, en effet, que celui qui est victime de l'idéologie ne peut le savoir, puisqu'il prend son idéologie pour la connaissance objective. C'est une thèse marxiste connue. C'est pourquoi, d'accord avec le marxisme, toute désidéologisation doit partir de la classe qui opprime (la seule qui sache qu'il s'agit d'idéologie). « La bourgeoisie est la conscience du prolétariat. » C'est pourquoi les opprimés résistent aux efforts de désidéologisation : ils sont spontanément cyniques et stoïques. Exemple : Che Guevara et les paysans boliviens. S'il n'avait jamais existé, par conséquent, de contradiction à l'intérieur même de la classe qui opprime (conscience dialectique de l'idéologie), il n'y aurait jamais eu de raison de chasser les idéologies. Tous les « opiums » fonctionneraient éternellement parce que parfaitement.

Mais le brouillard concret autour de ma maison permet de dissiper le doute de la manière suivante : bien que les brouillards concret et métaphorique soient des phénomènes semblables (les deux couvrent la réalité), le brouillard concret est un phénomène naturel et le métaphorique, un phénomène culturel. Le concret est donné, le métaphorique, fait. Le concret est une couverture de la réalité par la réalité même, le métaphorique est couverture délibérée de la réalité par des faiseurs de voiles (*Schleiermacher*). De sorte que l'on doit distinguer deux types de « mystères » : l'obscurité de la réalité même et l'obscurité faite par les obscurantistes. En d'autres termes, quand nous parviendrions à dissiper tous les brouillards idéologiques, nous ne trouverions pas la surface resplendissante de la réalité, mais des brouillards concrets comme ceux qui entourent ma maison. L'indignité des idéologues ne consiste pas, par conséquent, à obscurcir la clarté, mais le mystère de la réalité. Les marxistes primitifs et ingénus (non pas les authentiques et sophistiqués) commettent l'erreur de croire que désidéologiser signifie désaliéner de la réalité. Une telle croyance est, elle-même, de l'idéologie. Désidéologiser, c'est, au contraire, s'ouvrir aux brouillards concrets. C'est dans ce sens que Bloch peut dire que la religiosité véritable ne sera possible qu'après dissipation des religions établies. C'est là, au fond, son « principe espérance ».

Le brouillard concret autour de ma maison n'existe pas seulement pour qui a vu le panorama d'hier. Il en émane une atmosphère différente. L'atmosphère d'hier était de clarté, où les différences apparaissaient. Celle d'aujourd'hui est de lumière diffuse, où les différences sont gommées. Hier, il était « naturel » de distinguer et, aujourd'hui, il est « naturel » de baigner dans le flou. Hier, la raison était « adéquate » à la scène et, aujourd'hui, c'est l'intuition. Bien que je ne veuille pas me trouver dans le brouillard et que je préfère le panorama d'hier, je ne peux échapper à l'atmosphère d'aujourd'hui. Bien que je préfère faire partie des méfiants, je ne peux m'empêcher d'inspirer la nébulosité concrète qui m'entoure. C'est justement pour avoir entrepris de chasser le brouillard métaphorique que je suis obligé de laisser le brouillard concret me baigner et pénétrer mes pores. Et tel est l'« enseignement du phénomène » (pour le dire avec Goethe) : le sentiment religieux ne s'impose concrètement qu'après avoir entrepris de nier et d'écarter les voiles idéologiques des religions établies.

Je ne sais pas si cela a du sens de parler de « religiosité naturelle » provoquée par des atmosphères comme celle du brouillard autour de ma maison. Il serait peut-être plus juste de parler de « religiosité transculturelle », de religiosité d'après la déception des religions établies. Le brouillard autour de ma maison n'est pas, autobiographiquement parlant, antérieur aux brouillards idéologiques qui obscurcissent ma vision des choses. Il leur est postérieur et visible après un effort délibéré pour les chasser. L'authentique *homo religiosus* n'est pas « primitif ». Le « primitif » (si tant est qu'il existe) est victime des idéologies les plus grotesques. L'authentique *homo religiosus* est un soupçonneux (et un déçu). C'est qu'il a découvert que le balayage des brouillards métaphoriques consiste en une immersion dans les brouillards concrets. Peut-être la dignité consiste-t-elle en ceci : chasser des brouillards métaphoriques pour plonger dans des brouillards concrets ? Etre anti-obscurantiste pour pouvoir plonger dans l'obscurité véritable ? Mais c'est ici que l'on doit confesser la terrible difficulté de distinguer l'obscurité créée et donnée. Pourtant, on doit les distinguer. Ce n'est que grâce à la distinction (raison), que l'on peut plonger dans le brouillard véritable.

Nature et Culture
(Une manière de conclusion)

Considérés séparément, les essais contenus dans le présent livre n'exigent pas qu'on y introduise le lecteur. Ils doivent pouvoir se suffire à eux-mêmes. Et s'ils ne se suffisent pas, c'est qu'ils ont échoué à constituer des essais. Envisagés séparément, les essais ne forment pas une totalité. Un tel niveau de lecture autorise à les prendre dans n'importe quel ordre : ils sont aussi différents que le sont leurs thèmes. Sous cet angle, le présent recueil est une collection d'essais, au sens de cueillette sans critère de choix. À savoir : collection occasionnelle, fruit du hasard. Les sujets dont traitent les essais sont venus à l'esprit de l'auteur au fil de sa vie, et il les a pris en considération comme ils se sont produits : par hasard. Qui a pris l'habitude de permettre à tout sujet occasionnel d'occuper l'essentiel de son intérêt et de servir de prétexte pour donner libre cours à un flux de réflexions sait la fascination qu'exerce n'importe quelle rencontre avec n'importe quelle expérience (qui devient aventure). Celui-là connaît, de ce fait, le motif du présent livre. Cela explique aussi de manière organique la disparité stylistique des présents essais. Chaque essai possède un style que son sujet lui impose. Mais la dialectique « sujet/style » ou « contenu/forme » problématise une telle affirmation. C'est exact, le sujet s'impose au style. Il est également exact que tout sujet n'est sujet qu'après avoir été choisi d'une manière ou d'une autre. La disparité de style entre les présents essais constitue donc une conséquence du jeu dialectique par lequel plusieurs expériences fortuites se sont imposées à l'auteur qui les a acceptées comme sujets d'essais. De sorte que ni les sujets ni le style des présents essais n'exigent d'explication liminaire. Ils sont fortuits, fruits du hasard du vécu et le hasard ne peut et n'a pas à être expliqué. Il se produit « naturellement ».

Mais le présent recueil autorise aussi un autre niveau de lecture. Étant donné que ce niveau, quoique implicite, n'est pas explicité dans les essais, l'auteur se voit obligé de faire une conclusion explicative. La voici. Fasciné par la richesse inépuisable d'une expérience concrète et par le pouvoir catalyseur que toute expérience exerce sur la pensée, au cours des dernières années, l'auteur a écrit toute une série d'essais du type de ceux contenus dans le présent recueil. La plupart de ces essais ont été publiés dans plusieurs revues brésiliennes, américaines, allemandes et françaises et, notamment, dans le « Supplément littéraire » de *O Estado de São Paulo*. Ce qui, rétrospectivement, a marqué l'auteur, c'est que les sujets des essais portent tous sur des expériences avec des choses de la culture. Tout se passe comme si les expériences que l'auteur a connues tout au long de tant d'années n'avaient été que des rencontres avec la culture qui nous environne. Comme si la nature n'avait jamais existé pour lui ou comme si elle avait été reléguée à l'horizon de son expérience quotidienne. Deux interprétations de ce fait s'offraient : a) l'auteur est un « intellectuel » et il a perdu le contact avec la nature et b) la société technicienne et administrée, de laquelle l'auteur participe, a perdu un tel contact. Ces deux interprétations sont probablement correctes, mais elles ne sont pas satisfaisantes. Il doit y avoir une raison plus radicale et moins évidente qui fait que l'auteur et la société ne fassent plus l'expérience de la nature ou la font exceptionnellement. Et une telle raison doit être liée à une mutation du concept, de l'expérience et de la valeur désignés comme « nature », mutation actuellement en cours.

Pour découvrir une telle raison ou, du moins, s'en approcher, l'auteur s'est proposé deux choses : a) il a réuni dix des essais déjà réalisés dans un recueil publié à Paris, intitulé *La Force du quotidien*[13]. Les essais choisis traitent d'expériences de choses incontestablement culturelles, d'objets fabriqués tels que cannes, bouteilles, stylos, lunettes, tapis, murs, miroirs, livres, lits et automobiles. Le propos de ce choix était d'illustrer le pouvoir exercé par les objets (par la culture) sur la vie quotidienne. Illustrer la manière dont la culture, loin de libérer l'homme du déterminisme des forces de la nature, s'est constituée en condition de détermination. Par conséquent, en « seconde nature ». Ainsi, l'auteur a tenté d'illustrer la manière dont l'homme d'aujourd'hui fait l'expérience de la culture : non pas comme quelque chose d'élaboré, mais comme quelque chose de donné et, partant, comme nature. L'homme actuel a perdu le contact avec la nature dans le sens traditionnel du terme (ou il est en train de le perdre) parce que la culture reconduit existentiellement l'impact de la nature au sens traditionnel du terme ; b) insatisfait de cette « preuve négative », l'auteur a tenté de s'ouvrir, d'abord délibérément, puis toujours plus spontanément, aux expériences tenues pour naturelles dans le sens traditionnel du terme. Les présents essais en sont le résultat. Le propos initial partait du soupçon que de telles expériences naturelles ne se distinguent pas, du point de vue de leur impact existentiel, des expériences culturelles et que, par conséquent, la distinction ontologique entre nature et culture ne peut être soutenue du point de vue existentiel dans un tel contexte. Conformément à ce soupçon, la distinction ontologique devrait s'opérer maintenant entre expériences conditionnantes et expériences libératrices, deux catégories ontologiques qui font fi des catégories traditionnelles de « nature/culture » ou de « donné/élaboré ». Maintenant, en reconsidérant les essais ici présentés, l'auteur est incapable de dire si sa recherche a confirmé ou infirmé ce soupçon initial.

Dans l'opinion de l'auteur, cela ne constitue pas nécessairement un défaut. L'« essai », c'est ceci : une tentative pour voir ce que

13. Paris, Mame, coll. « Médium », 1974. Ouvrage traduit de l'anglais par Jean Mesrie et Barbara Niceall ; préface de Abraham A. Moles ; illustré par Gordon Swann. (N.d.T.)

donne une hypothèse de travail. Et l'intérêt de l'essai n'est pas le résultat, la confirmation ou la réfutation de l'hypothèse. L'intérêt réside dans ce qui se donne à voir tout au long de l'expérience menée. Le soupçon initial peut se trouver confirmé, infirmé ou rester ouvert. Ce que l'auteur espère, c'est que nombre d'aspects jusque-là insoupçonnés sont apparus tout au long des essais. Parce que le soupçon qui constitue l'hypothèse de départ n'est pas la seule, ni même la plus importante des motivations des présents essais. La motivation fondamentale est, comme toujours, la fascination qu'exercent les expériences rapportées.

Cependant, le soupçon de départ confère une certaine unité aux essais. Non seulement dans le sens où ils traitent de choses tenues pour naturelles par le sens commun et par la tradition, mais aussi dans ce sens qu'ils forment, pour les raisons suivantes, une séquence discursive : dans sa tentative pour confirmer ou infirmer son soupçon, l'auteur soumet ses expériences des choses naturelles à des épreuves successives. Au cours de ces épreuves, il avance une série de négations de la position « nature ». Ainsi, dans « Pluie », il tente de nier la nature par la « culture », au sens de « manipulation planifiée ». Dans « Cèdre », il s'applique à la nier par l'« étranger », au sens où la nature est « naturelle » et son opposé, « introduit de l'extérieur ». Dans « Vaches », il cherche à la nier par l'« artificiel », au sens où la nature est spontanée et son opposé, délibéré (technique, art). Dans « Gazon », il tente de la nier par le sujet, au sens où la nature est « objet » d'un sujet qui lui est opposé. Dans « Doigts », il essaie d'envisager la nature comme ce qui est « sain » et son contraire comme « oppression », « manipulation » ou « appareil ». Dans « Lune », il cherche à montrer la nature comme le résultat tardif et romantique de la culture. Dans « Montagnes », il s'attache à élaborer les significations opposées du concept d'« histoire » rapporté à la nature et à la société. Dans « Oiseaux », il s'efforce de voir la nature comme ensemble signifiant qu'il oppose au code permettant la lecture de ce signifié. Dans « Vallées », il se propose de considérer la nature comme scène du drame de l'humanité. Dans « Prairies », il s'applique à donner à voir la nature comme témoignage des activités humaines et, par conséquent, comme ensemble de données présentant des niveaux successifs. Dans « Faux printemps », il essaie d'opposer le concept grec de nature (*phusis*) à celui de science de la nature. Dans « Merveilles », il tente de faire de même avec son concept judéo-chrétien (création) qu'il oppose au concept de science de la nature. Dans « Vents », il s'efforce d'élaborer l'opposition entre la nature comme « hiérophanie » et la nature comme « commandement transcendant ». Dans « Bourgeons », il tente d'opposer les deux sentiments qui émanent de la nature : celui du tragique et celui de l'absurde. Enfin, dans « Brouillard », il cherche à opposer la mystification de la nature de la part de l'esprit idéologique à l'authentique mystère d'une réalité qui se cache en se révélant.

L'auteur se rend parfaitement compte de n'avoir pas épuisé les variations possibles d'un jeu dialectique dont la nature est la thèse. De fait, il a fini par croire que ce jeu est pratiquement illimité. Celui qui prend la nature pour thèse peut pratiquement tout prendre pour son antithèse. Selon l'opinion de l'auteur, cela rend problématique la viabilité du terme de « Nature ». Des termes d'extension aussi vaste risquent de se vider de toute signification. Il est peut-être temps d'abandonner le terme de « nature » au profit de termes plus modestes, mais plus significatifs. Une telle proposition est évidemment utopique parce que le terme de « nature » est tellement enraciné en profondeur dans nos langues et notre pensée qu'il va continuer à affecter notre expérience concrète, sa compréhension et nos actes.

Mais, une autre découverte, plus importante que celle de la vacuité du terme « nature », a été faite tout au long des essais. Au fur et à mesure que l'auteur appliquait ses conceptions dialectiques aux phénomènes contemplés, ces derniers se dérobaient à une réponse. Ils ne permettaient pas d'être contraints à répondre par « oui » ou « non » aux deux termes de l'alternative proposés. La « Pluie » ne répondait pas par « oui » ou « non » à la question : « la pluie de septembre est-elle le contraire de l'irrigation de la terre ? » Le « Brouillard » ne répondait pas par « oui » ou « non » à la question : « le brouillard matinal est-il le contraire du brouillard idéologique délibéré ? » Les phénomènes donnaient des réponses inattendues à l'auteur, esquivaient ses questions et défaisaient ses préjugés. La série d'essais précédents est soumise à des épreuves plus ou moins dirigées ; dans ce sens, elle est une séquence discursive. Mais, les conclusions offertes par les essais ne forment pas des séquences discursives. Tout se passe comme si, sagement alignés sur une corde à linge discursive au début, les essais se retrouvaient, à la fin, agités de manière désordonnée dans le vent soufflant des expériences mêmes, têtues et indomptables. De telle sorte que, lu de cette manière, le présent recueil apparaît comme linéairement discursif dans son intention et chaotiquement non conclusif dans ses résultats. Le lecteur des essais qui suit la progression voulue par l'auteur pourra vérifier la manière dont cette volonté a été remise en question par les expériences concrètes rapportées. Ce qui a été planifié de manière délibérée a échoué devant la concrétude des choses. « Naturellement ».

Avec un tel aveu, cette explication pourrait être tenue pour achevée. Mais l'auteur croit devoir y ajouter deux hors-textes. Le premier, de caractère plus ou moins théorique, est destiné à faciliter l'introduction du présent recueil dans les librairies et les bibliothèques ; par conséquent, son catalogage et sa mise en place sur le rayon approprié. Le second, de nature plus subjective, est destiné à justifier la publication du présent recueil dans le contexte de la littérature brésilienne actuelle.

a) C'est un lieu commun de dire qu'il s'est produit, au cours du Moyen Âge tardif, un changement ou une révolution dans la pensée, la sensibilité et les valeurs de l'Occident et, par conséquent, dans l'action et l'esthésie, dans l'« être-au-monde » de ceux qui participent d'une telle culture. Un aspect important d'un tel changement ou révolution est ce que l'on a appelé la « découverte » (ou « redécouverte ») de la nature. Une des conséquences de cette « découverte » est le fait très étrange que la connaissance scientifique commence à opérer une progression depuis la périphérie vers le centre. Elle a commencé par la recherche de choses extrêmement « inintéressantes » et lointaines, existentiellement parlant (astronomie, mécanique), pour progresser lentement vers des choses plus « humainement significatives » (biologie, psychologie, sociologie). L'histoire de la science moderne est marquée par cette très curieuse inversion de l'intérêt. Comme si la connaissance scientifique avait au départ délaissé délibérément tous les sujets intéressants dans l'espoir de pouvoir mener plus tard des recherches sur eux, une fois résolus les problèmes les moins intéressants.

Il ne s'agit pas, ici, d'expliquer ce phénomène curieux. Les explications sont faciles à donner, depuis les formelles (astronomie et mécanique sont des disciplines mathématisables) jusqu'aux historicistes (la praxis de la bourgeoisie révolutionnaire révèle les mécanismes et son idéologie masque le niveau social de la réalité). Ce qui importe, c'est le constat du fait que la physique (discipline qui étudie le mouvement des corps inanimés) s'est établie, de manière absurde, comme premier ensemble systématisé de la connaissance moderne, et, par conséquent, comme modèle de tous les ensembles suivants. Donc la physique est considérée comme « science de la nature », non pas exactement au sens de la *phusis* (bien que le terme de Physique semble le suggérer), mais au sens où la *phusis*, pour les Grecs, est l'ensemble animé des choses animées et inanimées, et la « nature », pour la physique, l'ensemble inanimé des choses animées et inanimées. Mais, en tout cas, le progrès de la science moderne a consisté à aller de la nature vers l'homme et la société.

Une telle progression est aujourd'hui sur le point de s'achever. Non seulement parce que la science étend également aujourd'hui sa compétence à l'homme et la société et que, par conséquent, elle ne peut que gagner en minutie, sans pouvoir avancer davantage, mais parce que, plus radicalement, elle se heurte aujourd'hui à une barrière infranchissable. Tant que le savoir scientifique se cantonnait aux régions extra humaines, auxquelles l'homme n'était pas existentiellement intéressé, il était possible de maintenir la fiction de la connaissance objective. Mais, dès lors qu'aujourd'hui le savoir scientifique pénètre des champs dans lesquels l'homme est impliqué (intéressé), une telle distinction artificielle entre objet connaissable et sujet connaissant devient insoutenable. Dans de tels champs, l'homme est simultanément objet et sujet de la connaissance. Une telle barrière opposée au progrès de la connaissance scientifique constitue un aspect important de ce que Husserl appelle la crise de la science de l'Occident. En termes pertinents dans le présent contexte, cette très curieuse nature dont le progrès scientifique est parti pour s'attaquer à l'homme et à la société, apparaît maintenant comme un horizon d'objectivité fictive et non pas comme un soubassement solide de cette réalité concrète dans laquelle nous sommes impliqués.

Une telle crise de la science (qui peut, à son tour, être comprise comme l'une des causes d'une crise générale ou comme une manifestation d'une révolution plus profonde, peu importe) exige une reformulation radicale tant des méthodes que des objets d'intérêt de la science. Une telle reformulation se produit autour de nous. Pour ce qui est de ses objets, son intérêt se porte actuellement vers ceux qui sont le plus proche et nous concernent le plus. Le sens de l'avancement de la connaissance est en train de s'inverser. Pour ce qui est de ses méthodes, elles sont fondées sur la relation entre sujet connaisseur et objet de la connaissance ainsi que sur les effets que la connaissance elle-même exerce sur l'un et l'autre. En d'autres termes, la science prend conscience du fait qu'elle est l'activité d'un homme inséré dans la réalité et qui a intérêt à la modifier ; elle ne nourrit plus l'illusion d'être la discipline pure d'un homme transcendant la réalité.

Cela signifie, entre autres choses, que la physique cesse d'être le modèle de toutes les sciences, et que celles qui traitent de phénomènes plus concrets (comme la théorie de la communication) ont tendance à s'ériger en modèles. Cependant, d'une certaine manière est réitéré *ab ovo* l'effort pour connaître de manière scientifique le monde qui nous entoure. D'une certaine manière, nous sommes actuellement aussi ignorants et naïfs que les pionniers de la science moderne. Et de la même manière qu'ils étaient contraints de porter sur leurs épaules le poids de l'aristotélisme, nous sommes obligés de porter le fardeau bien plus lourd des « connaissances objectives » qu'ils ont accumulées. Il ne s'agit pas, bien sûr, d'un poids mort. Mais d'un poids qui doit être « mis entre guillemets pour un usage futur » (pour parler à nouveau avec Husserl), sous peine de nous heurter, en vain, à la barrière de l'objectivité.

Cette ignorance et cette naïveté nouvelles, auxquelles nous condamnent notre crise, ont leur avantage. Nous pouvons regarder le monde qui nous entoure comme si personne ne l'avait jamais regardé. Nous sommes tous des pionniers. Et, comme tels, nous pouvons tout oser. Par exemple, nous pouvons oser entreprendre de faire le catalogue des choses qui nous environnent. Dans la mesure où nous sommes les premiers à pénétrer le champ, le choix du critère pour le catalogage nous appartient. Que d'autres viennent ensuite nous critiquer ; ils seront les bienvenus. Mais, pour le moment, peu importe qu'un inventaire soit meilleur qu'un autre, pourvu qu'il obéisse aux deux règles mentionnées : a) premièrement, les choses qui nous intéressent doivent être inventoriées et b) quoique imposé par les choses, nous devons admettre que notre intérêt pour elles les constitue en choses.

Le présent recueil, comme le précèdent, édité à Paris, est une tentative d'inventaire au sens indiqué, l'une des nombreuses tentatives actuellement en cours. Elle peut être étiquetée « scientifique », mais non pas au sens traditionnel du terme. Elle fait partie de ce contexte de recherches (« phénoménologiques », « communicologiques », peu importe le nom qu'on leur donne) capables de constituer une science à venir. C'est pourquoi, les résultats présentés dans les présents essais n'ont guère d'intérêt. Ce qui est intéressant, c'est l'attitude vis-à-vis du monde qui s'y manifeste. (Si tant est qu'une telle attitude s'y manifeste effectivement.) L'auteur croit qu'avec toutes ses lacunes, erreurs et omissions, le présent livre fait partie d'une littérature embryonnaire qui sera considérée comme « scientifique » dans le futur, et dont des auteurs tels Husserl, Ortega, Bachelard, etc., sont les initiateurs.

Le présent recueil a été écrit en Europe. Plus exactement, sur les bords de la Loire, dans une vallée des Alpes et au cours de voyages en Europe. Inévitablement, un tel fait transparaît dans les essais.

L'expérience de la « nature », qui est leur sujet, est une expérience de la nature européenne. L'auteur doute qu'il ait pu écrire des essais du même type dans un contexte brésilien. Non pas que la nature brésilienne soit différente de l'européenne, mais pour une raison plus profonde. En Europe, la nature est fréquentable, au Brésil, elle est hostile. Si l'auteur avait écrit des essais au Brésil, il aurait écrit non pas sur, mais contre la nature. Cela aurait été un livre différent. Non seulement des aspects différents de la nature seraient apparus à la surface, mais le thème même en eût été différent. Parce que, au Brésil, le terme « nature » renvoie à une expérience, une valeur et un concept différents de ce qu'ils signifient en Europe. Une telle différence et un tel *overlap* de significations ne s'expliquent pas seulement par les différences de la géographie et de l'histoire des deux « mondes ». Il ne s'agit pas seulement du fait que le climat brésilien est « plus chaud » ou que la société brésilienne est « plus neuve ». La racine de la différence plonge plus profond, et elle a trait aux deux climats existentiels distincts. L'Européen tend à se réfugier dans la nature pour échapper aux menaces de la culture ; une telle tendance n'est pas récente (on la doit, par exemple, au romantisme et aux idéologies semblables de la fuite hors du réel). Les Grecs et les Romains avaient déjà une vision bucolique propre. Au Brésil, où s'exerce constamment l'influence européenne, une telle tendance à « un retour à la nature » n'est pas inconnue, mais, comme tant d'autres influences importées, elle n'est guère plus qu'une posture sans contenu. À l'inverse de l'Européen, le Brésilien tend à se regrouper dans des centres fortement peuplés pour échapper aux menaces de la nature. Cela se manifeste de différentes manières : « mauvaise répartition » de la population brésilienne sur le territoire disponible, tendance à construire des immeubles élevés dans de petites villes aux terrains vagues trop nombreux, entassement sur un petit nombre de plages alors qu'on en dispose d'un grand nombre, villages de vacances bondés. De telles tendances opposées correspondent à des climats existentiels différents. Fondamentalement, l'Européen se sent menacé par son prochain : c'est le climat du « *homo homini lupus* ». Fondamentalement, le Brésilien se sent menacé par les forces extra-humaines. C'est pourquoi l'Européen est engagé dans la transformation de la société et le Brésilien, dans celle de la nature. Et aussi pourquoi il existe dans la société brésilienne une solidarité fondamentale, quoique pas toujours palpable, qui lui confère cette saveur particulière d'humanisme et de sympathie, dont le manque se fait tellement sentir en Europe.

Si bien qu'une telle différence, qui ne relève pas de l'antagonisme mais de l'*overlap* (dans la mesure où, au Brésil, il existe également des tendances à l'identification avec la nature, qu'illustre Guimarães Rosa[14] et, en Europe, des tendances très fortes à fuir la nature, qu'illustrent les « banlieues » parisiennes), est source de l'un des multiples malentendus entre les deux mondes. L'Européen ne parvient pas à saisir l'engagement profond du Brésilien contre sa nature ; il le prend pour de l'aliénation, étant donné que, pour lui, engagement signifie toujours lutte pour une société plus humaine. Et le Brésilien ne parvient pas à saisir la situation européenne qui lui paraît déjà entièrement « acculturée », n'offrant rien d'autre à faire, puisque, pour lui, « faire », c'est dominer la nature. Un tel malentendu est tragique parce que les deux mondes sont condamnés à vivre ensemble et, par conséquent, contraints d'entretenir des relations significatives.

À cet égard, la question se pose de savoir comment justifier la publication d'un recueil qui traite de la nature européenne dans le cadre de la littérature brésilienne actuelle. La réponse à une telle question serait simple si le présent recueil avait été écrit par un Européen. Dans ce cas, il se justifierait parce qu'il contribuerait à dissiper des malentendus. Mais ce n'est pas le cas du présent recueil. Il a été écrit par quelqu'un qui a vécu la plus grande partie de sa vie au Brésil et qui est retourné dans son Europe natale avec un esprit et une sensibilité fortement brésilianisés. En d'autres termes, par quelqu'un qui est engagé dans les choses brésiliennes, bien que de par sa biographie et sa position géographique actuelle, il ait une certaine empathie pour la nature européenne. Dans ce cas, comment justifier la publication du présent recueil ?

14. Rosa, João Guimarães (1906-1967), écrivain, poète et diplomate brésilien. (N.d.T.)

La réponse est liée, curieusement, au développement précédent sur la crise épistémologique actuelle. L'un des points soulignés dans ce paragraphe portait sur la nécessité d'admettre que le sujet connaissant était impliqué dans l'objet de la connaissance. Et par conséquent, de la nécessité d'admettre que l'« objectivité » au sens de la connaissance d'un sujet planant au-dessus de l'objet connu est un idéal impossible et peut-être indésirable. Admettre cela n'implique pas qu'une prise de distance du sujet connaissant par rapport à l'objet à connaître soit impossible et indésirable. Au contraire, une fois l'« objectivité » admise comme idéal impossible, la prise de distance devient désirable parce qu'elle ne peut plus être confondue avec la transcendance irresponsable. Semblable prise de distance, qui admet son profond engagement dans le connaissable mais donne un point de vue large et dépourvu de préjugés, devient la véritable attitude scientifique post-objective.

Un lecteur attentif des présents essais se rendra compte de l'engagement de l'auteur dans les choses brésiliennes entre les lignes qui décrivent les expériences de la nature européenne. L'auteur a écrit sur la nature européenne pour le lecteur brésilien non seulement pour l'informer, mais pour dialoguer ; parce que l'auteur se désintéresse totalement d'une possible modification de la réalité européenne. Il ne s'y trouve pas inséré, il est étrange et étranger en Europe. Un tel désintérêt lui confère une distance par rapport aux expériences qu'il a décrites, mais il est profondément intéressé à une possible modification de la réalité brésilienne en dialogue avec d'autres. Un tel intérêt évite que sa prise de distance ne se transforme en transcendance irresponsable. De par sa position biographique et géographique, cependant, l'auteur peut servir de témoin brésilien des aspects de la réalité européenne qu'il a rapportés dans les présents essais. Et c'est là ce qui justifie la volonté de l'auteur de publier le présent recueil aujourd'hui au Brésil.

Maintenant, la patience du lecteur doit être épuisée. L'auteur aurait aimé ajouter bien d'autres choses, mais il doit refréner son envie de prendre le lecteur par le bras pour l'entraîner dans une marche à travers champs, prés, forêts et montagnes incroyablement beaux et dangereusement attirants d'Europe. Il renonce, donc, à une telle tentative ; sans plus attendre, il remet le présent guide touristique entre les mains du lecteur brésilien. « Guide touristique », si par « tourisme » on entend un synonyme actualisé du terme « théorie ». Tourisme ou théorie, c'est la vision pleine de curiosité mais exempte de préjugés de cet être provisoire et étranger au monde appelé *homo viator*.

Table des matières